Français • 2e cycle du primaire

Ardoise

Danielle Lefebvre
Directrice de collection

Nathalie Chevalier • Fannie Lupien

Manuel D

LES ÉDITIONS CEC INC.

8101, boul. Métropolitain Est, Anjou, Qc, Canada H1J 1J9
Téléphone : (514) 351-6010 Télécopieur : (514) 351-3534

Directrice de l'édition
Carole Lortie

Directrice de la production
Danielle Latendresse

Directrice de la coordination
Isabel Rusin

Chargée de projet et réviseure
Monique Boucher

Correctrice d'épreuves
Marielle Chicoine

Conception graphique et réalisation technique
Matteau Parent graphisme et communication inc.
• Mélanie Chalifour (maquette et couverture)
• Guilène Tardif (mise en page)

Recherche de textes
Nadine Fortier

Conception des activités *Double clic*
Marie-France Laberge

Consultation

Dominique Cardin, conseillère pédagogique
au primaire, commission scolaire des Affluents

Yolande Legault, enseignante au 2ᵉ cycle, école
Lajoie, commission scolaire Marguerite-Bourgeoys

Dans cet ouvrage, la féminisation des titres de fonctions et des textes s'appuie sur des règles d'écriture proposées par l'Office de la langue française dans le guide *Au féminin,* Les publications du Québec, 1991.

Les Éditions CEC inc. remercient le gouvernement du Québec de l'aide financière accordée à l'édition de cet ouvrage par l'entremise du Programme de crédit d'impôt pour l'édition de livres, administré par la SODEC.

© 2002, Les Éditions CEC inc.
8101, boul. Métropolitain Est
Anjou (Québec) H1J 1J9

Dépôt légal: 4ᵉ trimestre 2002
Bibliothèque nationale du Québec
Bibliothèque nationale du Canada

ISBN 2-7617-1872-0

Imprimé au Canada
2   3   4   5   6   07   06   05   04   03

Signification des symboles

 : document reproductible

 : travail à faire en coopération

 : tâche pouvant être accomplie à l'ordinateur

 : carnet de lecture, dans lequel on consigne ses impressions après la lecture de textes littéraires et courants

 : activité d'enrichissement

 : atelier, où l'on propose des exercices pour renforcer les nouvelles connaissances

 : portfolio, dans lequel on peut ranger les documents considérés comme importants

Degré de difficulté des textes

 : texte facile   : texte un peu plus difficile   : texte plus difficile

Table des matières

Unité 10
En scène

Unité 11
Repor… Terre

Unité 12
À destination

Les rubriques

À vos plumes

Situation d'écriture

Clés en main

Activités de grammaire, de vocabulaire, d'orthographe, de syntaxe et de ponctuation

Double clic

Activités à l'ordinateur

Projet

Tâche complexe dans laquelle on te propose de réaliser un projet

La culture, c'est comme les confitures...

Petit dossier culturel

Jean-François de Troy (1679-1752),
La lecture de Molière

2

Unité 10

En scène

As-tu déjà vu une pièce de théâtre ? En as-tu déjà lu une ?
Dans cette unité, tu vas en découvrir trois.
Tu pourras réaliser un projet en lien avec le théâtre et,
peut-être même, jouer une pièce. Cela te permettra de mettre
en œuvre ta créativité et d'exercer tes talents.

De plus, tu t'informeras sur quelques métiers liés au monde du théâtre.
À tout cela s'ajoutera la découverte d'un nouveau genre littéraire :
la fable. Que de surprises t'attendent !

« Le théâtre est tout ce qui occupe la scène

l'espace théâtral	l'acteur
le décor optique	le mouvement
la lumière	le geste
l'obscurité	la danse
le décor sonore	l'immobilité
la musique	la voix
le silence	[...] »

(Peter K. Alfaenger, **Le théâtre**.
© Éditions Hurtubise HMH)

Mille et une mimiques

Afin d'être à l'aise dans leurs mouvements, les comédiens et comédiennes font souvent des exercices d'assouplissement avant d'entrer en scène.

Faites comme eux. En équipe de quatre, commencez par assouplir vos articulations en imitant des marionnettes à fils. Faites les exercices donnés, d'abord individuellement, puis deux par deux et, finalement, tous les quatre ensemble.

A Imitez la séquence de mouvements illustrée ci-contre. Répétez l'exercice trois fois avec chaque bras.

B Poursuivez l'échauffement avec la séquence d'exercices illustrée ci-dessous. Répétez-la trois fois. Respirez profondément et marquez une petite pause après chaque séquence.

Après ces exercices d'assouplissement, passez au mime. Suivez la démarche présentée sur les feuilles qu'on vous remettra.

Voici un extrait d'une pièce de théâtre inspirée de la fable *Le lièvre et la tortue* de Jean de La Fontaine, célèbre écrivain français ayant vécu de 1621 à 1695. Observe la façon dont le texte est écrit. Lis-le attentivement pour en comprendre le sens.

Bonjour, Monsieur de La Fontaine !

La tortue

Le lièvre

Le régisseur

La tortue et le lièvre sont dans les coulisses d'une salle de spectacle. Dans quelques instants, la tortue entrera en scène pour présenter son numéro de magie. Le lièvre est son assistant.

LA TORTUE :
> Mais, dépêche-toi !

LE LIÈVRE :
> Mais non, j'ai tout mon temps...

LA TORTUE :
> Tu dis ça, mais...

LE RÉGISSEUR, *au public* :
> Oh ! ça ne sera pas long. Nous allons commencer tout de suite.

LE LIÈVRE :
> Je veux rester étendu ici... Je veux me reposer...

LA TORTUE :
> Je te le dis : on va être en retard...

LE RÉGISSEUR, *comme pour que la coulisse entende* :
> Si ça continue, ils seront en retard.

LE LIÈVRE :
> Mais non, de toute façon, c'est toi la plus lente.

LA TORTUE :

Lente, si tu veux, mais jamais en retard, moi.

LE LIÈVRE :

De toute façon, tu peux prendre de l'avance, je cours plus vite que toi...

LE RÉGISSEUR :

Mais... Dépêchez! Un spectacle...

LA TORTUE :

Un spectacle, c'est quand même sérieux, on ne niaise pas avec ça.

LE LIÈVRE, *en bâillant* :

Je suis beaucoup plus vite que toi.

LA TORTUE :

Je m'en vais, mais je t'avertis,
ne me laisse pas tomber...
ça t'est déjà arrivé.

Il bâille et on sent qu'il s'endort.

À tout à l'heure...

LE LIÈVRE :

MMMMmmm...

LA TORTUE, *toujours de la coulisse* :

On peut y aller monsieur le régisseur, je suis prête...

LE RÉGISSEUR :

Il a un porte-voix.

Mesdames et messieurs, enfants de tout âge, nous avons l'immense plaisir de vous présenter aujourd'hui, en grande exclusivité, notre bonne amie du monde des animaux, pas rapide mais toujours là à l'heure... J'ai présenté nulle autre que celle que tout le monde qualifie de «la patte plus lente que l'œil». Mesdames et messieurs: Carapaça la magicienne...

Il commande des applaudissements.

LA TORTUE, *en entrant lentement mais sûrement* :

Tarram.

Elle marche très lentement, elle lance très lentement des baisers dans la salle, ça lui prendra un temps énorme pour s'installer.

Bonjour cher public, il me fait toujours un immense plaisir d'être parmi vous. [...]

Et maintenant... Et maintenant cher public, le tour le plus merveilleux de ma carrière. Je vais faire apparaître quelque chose de très spécial dans mon chapeau. Je sors la baguette magique. Voici mon chapeau vide de tout trucage, je prononce la formule magique «Lafi. Lafo. Lafont. Taine, Taine, Taine. Jean de, Jean de. Gros Jean comme devant.»

Elle sort de son chapeau une mouffette. Ce qui devrait impressionner tout le monde et surtout le lièvre qui apparaîtra à ce moment-là. Comme tout magicien qui se respecte, la tortue se fera applaudir encore, baisers aux spectateurs... Puis elle dit:

Chers spectateurs, très cher public. Je veux vous présenter:

Avec un demi-sourire le lièvre s'approche. Elle dit:

Toinette la mouffette...

Ici encore le régisseur commande des applaudissements.
Le lièvre en prend pour son rhume...

LE LIÈVRE:

Tu m'as remplacé, moi? Par une mouffette!

LA TORTUE:

Tu cours tout le temps...

LE LIÈVRE:

Je ne suis pas si en retard que ça!

LA TORTUE:

Un peu, beaucoup, énormément en retard,
c'est en retard.

LE LIÈVRE:

J'aurais voulu... Une mouffette... ouache!

LA TORTUE:

Je me hâte avec lenteur, et suis toujours là à l'heure.

LE LIÈVRE:

J'avais tout mon temps...

LA TORTUE:

Tu avais tout ton temps, et tu l'as tout pris!

LE RÉGISSEUR:

Mesdames et messieurs, vous venez d'assister au spectacle de Carapaça la magicienne.

Il se prépare à applaudir.

LA TORTUE, *le coupant* :

Et surtout n'oublie pas notre gageure.

LE LIÈVRE :

On oublie ça...

LA TORTUE :

Une gageure, c'est une gageure.

LE RÉGISSEUR :

Une gageure, c'est une gageure.

LE LIÈVRE :

Mesdames et messieurs, je dois vous dire...

Il parle si rapidement qu'on n'entend pas ce qu'il dit.

La tortue est plus rapide que le lièvre.

LE RÉGISSEUR :

Merci, Carapaça. Merci, monsieur le lièvre.

LA TORTUE :

On n'a pas entendu.

LE RÉGISSEUR :

On n'a pas entendu.

LE LIÈVRE :

La tortue est plus rapide que le lièvre.

LE RÉGISSEUR :

Encore une fois, merci.

LA TORTUE :

Et la suite.

LE LIÈVRE :

Rien ne sert de courir, il faut partir... à temps.

LA TORTUE :

Il faut partir à point... [...]

LE LIÈVRE :

Il faut partir à temps, c'est plus beau.

LE RÉGISSEUR :

C'est vrai que c'est aussi beau.

LA TORTUE :

Il faut dire à point.

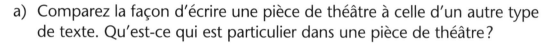

LE LIÈVRE, *en sortant* :

Oui, mais c'est plus facile : à temps.

LA TORTUE, *en sortant* :

Tout est si compliqué avec toi... Il faut dire à point et c'est à point
qu'il faut dire, un point c'est tout.

LE RÉGISSEUR :

À point ou à temps, il faut partir au bon moment !

Il sort.

Source : Guy Mignault, *Bonjour, Monsieur de La Fontaine !*, p. 83-87, 91-97. © Leméac, 1982.

1. En équipe de trois, effectuez les tâches suivantes.

a) Comparez la façon d'écrire une pièce de théâtre à celle d'un autre type de texte. Qu'est-ce qui est particulier dans une pièce de théâtre ?

b) Résumez en quelques phrases l'histoire racontée dans l'extrait de la pièce des pages 5 à 9.

c) Selon vous, que pourraient signifier les expressions suivantes ?

• Gros-Jean comme devant. • En prendre pour son rhume.

d) Selon vous, quel lien peut-on faire entre le nom de la tortue, *Carapaça*, et l'animal lui-même ?

Présentez vos réponses en grand groupe. Puis, exercez-vous à lire cette pièce à voix haute, avec intonation, en jouant le rôle d'un personnage. Suivez les consignes données par votre enseignant ou enseignante.

2. Comparez la pièce de théâtre à la fable dont elle s'inspire. Faites d'abord une première lecture de la fable pour en découvrir le sens. Pour vous aider, consultez les définitions données. Discutez-en en équipe et retenez la meilleure explication possible. Utilisez ensuite la feuille qu'on vous remettra pour comparer les deux textes (la fable et la pièce). Présentez vos idées en grand groupe.

Le lièvre et la tortue

Fable de Jean de La Fontaine

Rien ne sert de courir; il faut partir à point.
Le lièvre et la tortue en sont un témoignage.
«Gageons, dit celle-ci, que vous n'atteindrez point
Sitôt que moi ce but. – **Sitôt**? Êtes-vous sage?
Repartit l'animal léger.
Ma **commère**, il vous faut **purger**
Avec quatre grains d'ellébore.
– Sage ou non, je parie encore.»
Ainsi fut fait: et de tous deux
On mit près du but les **enjeux**:
Savoir quoi, ce n'est pas l'affaire,
Ni de quel juge l'on convint.
Notre lièvre n'avait que quatre pas à faire;
J'entends de ceux qu'il fait lorsque prêt d'être atteint
Il s'éloigne des chiens, **les renvoie aux calendes**,
Et leur faire **arpenter les landes**.
Ayant, dis-je, du temps de reste pour **brouter**,
Pour dormir, et pour écouter
D'où vient le vent, il laisse la tortue
Aller son train de sénateur.
Elle part, elle **s'évertue**;
Elle se hâte avec lenteur.
Lui cependant **méprise** une telle victoire,
Tient la gageure à peu de gloire,
Croit qu'il y va de son honneur
De partir tard. Il broute, il se repose,
Il s'amuse à toute autre chose
Qu'à la gageure. À la fin quand il vit
Que l'autre touchait presque au bout de la carrière,
Il partit **comme un trait**; mais les élans qu'il fit
Furent **vains**: la tortue arriva la première.
«Eh bien! lui cria-t-elle, avais-je pas raison?
De quoi vous sert votre vitesse?
Moi, l'emporter! et que serait-ce
Si vous portiez une maison?»

Petit lexique

sitôt: aussi rapidement

commère:
personne bavarde,
qui parle trop

**purger avec quatre
grains d'ellébore**:
guérir de la folie

enjeux: gageures

les renvoie aux calendes:
les distance à un point
tel qu'ils ne le
rattraperont jamais

arpenter les landes:
parcourir les champs

brouter:
manger de l'herbe

aller son train de sénateur:
aller lentement

s'évertue:
fait beaucoup d'efforts

méprise:
ne l'apprécie pas

comme un trait:
à toute vitesse

vains: inutiles

Clés en main

Orthographe et conjugaison

Mes mots

un acteur	un comédien	diriger	saluer
une actrice	une comédienne	distribuer	un salut
apprendre	complet	la distribution	une salutation
l'auteur	complète	muet	la scène
l'auteure	votre costume	muette	le silence
votre billet	le costumier	payer	leur spectacle
le caissier	la costumière	cette représentation	un spectateur
la caissière	la couture	représenter	une spectatrice
au cinéma	un couturier	le rideau	son texte
ce client	une couturière	mon rôle	au théâtre
cette cliente	le décor		
mon coiffeur	un directeur		
ma coiffeuse	une directrice		
ta coiffure	cette direction		

On trouve souvent un verbe ► au subjonctif dans une phrase qui commence par

Il faut...,
Je souhaite...,
Je veux...

Mes verbes conjugués

AIMER			FINIR		
SUBJONCTIF PRÉSENT			**SUBJONCTIF PRÉSENT**		
Personne	Radical	Terminaison	Personne	Radical	Terminaison
que j'	aim	**e**	que je	finiss	**e**
que tu	aim	**es**	que tu	finiss	**es**
qu'il/elle	aim	**e**	qu'il/elle	finiss	**e**
que nous	aim	**ions**	que nous	finiss	**ions**
que vous	aim	**iez**	que vous	finiss	**iez**
qu'ils/elles	aim	**ent**	qu'ils/elles	finiss	**ent**

1. En équipe de deux, classez chaque paire de noms de métiers du tableau *Mes mots* selon la règle de formation du féminin.

Ajout d'un *e*	-er ► -ère	Redoublement de la consonne finale + *e*	-eur ► -euse	-teur ► -trice

2. Lisez chaque définition pour trouver le nom du métier de théâtre défini (formes féminine et masculine). Consultez le tableau *Mes mots* et les pages 26 à 31. Puis, ajoutez ces mots dans le tableau créé au numéro 1.

Unité 10

11

a) Artiste qui dirige les comédiens et comédiennes pendant les répétitions.

b) Spécialiste qui règle la sonorisation et crée des ambiances sonores.

c) Personne qui aide les comédiens et comédiennes à se souvenir de leur texte lorsqu'ils oublient une réplique.

d) Artiste qui conçoit les décors.

e) Personne qui se procure les vêtements que portent les comédiens et comédiennes.

3. Complétez les phrases avec des mots du tableau *Mes mots*. Faites les accords nécessaires.

a) Les comédiens doivent ■ leur rôle par cœur.

b) La ■ d'une pièce de ■ est précédée de nombreuses répétitions.

c) Au ■ du quartier, on présente un vieux film.

d) Les actrices jouent cette ■ de façon magistrale.

e) Les comédiennes saluent les ■ et les ■ à la fin de la représentation.

4. Dans le tableau *Mes mots*, trouvez deux adjectifs féminins dans lesquels le son [ɛ] (comme dans fenêtre) s'écrit différemment.

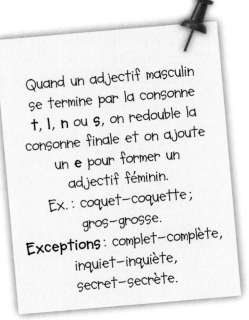

Quand un adjectif masculin se termine par la consonne **t, l, n** ou **s**, on redouble la consonne finale et on ajoute un **e** pour former un adjectif féminin.
Ex.: coquet-coquette; gros-grosse.
Exceptions: complet-complète, inquiet-inquiète, secret-secrète.

5. Quelle difficulté observez-vous dans l'orthographe de chacun des mots suivants?

a) billet   c) scène   e) texte

b) payer   d) rôle   f) théâtre

6. Composez une phrase avec les groupes de mots donnés. Écrivez les mots en gras au pluriel.

a) **billet**, payer, cinéma   c) rideau, **décor**   e) il faut que..., finir

b) rôle, texte   d) je souhaite que..., aimer   f) **scène**, théâtre

À vos plumes

Une fable sens dessus dessous !

Que dirais-tu de modifier une fable à ta façon, question de rigoler un peu ? Jean de La Fontaine s'arracherait bien les cheveux s'il voyait ce que l'on fait avec ses fables ! Lis les quelques vers suivants tirés de la fable *Le corbeau et le renard* et modifiés à notre façon !

Fable originale

Maître Corbeau sur un arbre perché
Tenait en son bec un fromage,
Maître Renard par l'odeur alléché
Lui tint à peu près ce langage [...].

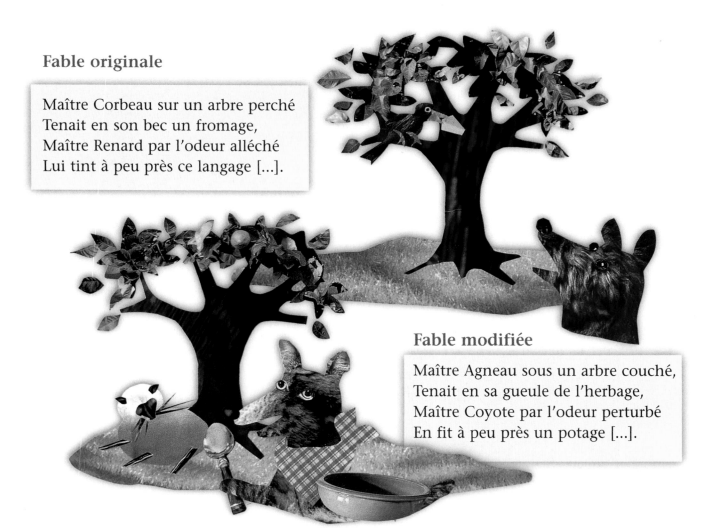

Fable modifiée

Maître Agneau sous un arbre couché,
Tenait en sa gueule de l'herbage,
Maître Coyote par l'odeur perturbé
En fit à peu près un potage [...].

Choisis maintenant la fable qui te plaît davantage parmi celles présentées sur le document qu'on te remettra. Suis la démarche proposée pour rédiger ton texte avec... un brin de folie ! Inspire-toi de l'exemple donné ci-dessus.

Je planifie

Relis la fable choisie pour bien en comprendre le sens. Lis ensuite les mots en italique et écris au-dessus de chacun la classe de mots à laquelle il appartient (verbe ou nom). Utilise les stratégies apprises pour bien identifier chaque mot.

Je rédige

Remplace chaque mot en italique par un mot de la même classe, tout en conservant les rimes à la fin des vers. Fais un choix judicieux pour rendre la fable amusante. **Attention! Si le mot revient plus d'une fois dans la fable, tu dois toujours le remplacer par le même mot!**

Je révise et je corrige

Relis la fable modifiée. Est-elle originale? drôle? amusante?

Fais les accords dans les groupes du nom et accorde chaque verbe avec son sujet.

Je mets au propre

Transcris ta fable sur une feuille. Relis-la attentivement pour t'assurer que tu n'as oublié aucun mot.

Signe ton œuvre en imitant le nom de Jean de La Fontaine. Inscris ton prénom à la place de Jean, conserve «de La» et modifie ton nom de famille.

Je présente

Lis ta fable devant tes camarades de classe en y mettant de l'intonation. Conserve-la ensuite dans ton portfolio.

Je m'évalue

Quelle fable préfères-tu: la fable originale ou la fable modifiée? Pourquoi?

Qu'est-ce que cette activité d'écriture t'a permis d'apprendre?

Sur la bonne voix...

Afin de bien prononcer chaque mot de leur texte, les comédiens et comédiennes doivent faire des exercices de diction. En équipe de deux, mettez-vous à leur place. Écoutez-vous et aidez-vous.

Exercice 1

Récitez lentement, puis de plus en plus rapidement, les groupes de mots suivants en articulant bien.

- Rire, dire, lire.
- Reste, geste, veste.
- Pastille, croustille, vanille.
- Raccrocher, raccorder, raccompagner.
- Front, prompt, tronc.
- Panier, piano, planer.

Exercice 2

Prononcez les phrases suivantes lentement, puis de plus en plus vite.

- Passant, penses-tu passer par ce passage où, passant, j'ai passé?
- Je veux et j'exige; j'exige et je veux!
- Les chemises de l'archiduchesse sont-elles sèches ou archisèches?
- Ton thé t'a-t-il ôté ta toux? Oui, mon thé m'a ôté ma toux.
- Un chasseur sachant chasser doit savoir chasser sans son chien.
- Que lit Lili sous ces lilas? Lili, sous ces lilas, lit la liste.

Exercice 3

Dites chacune des phrases suivantes deux fois en faisant ressortir l'un et l'autre du sentiment ou de l'émotion indiqués.

- Viens ici tout de suite, je dois te dire quelque chose. → calme → colère
- Dans une obscurité totale, j'ouvris la porte lentement. → peur → courage
- Quand je regarde cette photo, les souvenirs resurgissent. → amour → haine
- Je vais participer au défilé avec mon équipe. → déception → joie
- Je suis tellement content (ou contente) d'aller à cette soirée! → hypocrisie → franchise

Jean-Baptiste Poquelin, dit Molière, est un célèbre auteur de pièces de théâtre qui a vécu de 1622 à 1673. Lis l'extrait qui suit, tiré du *Bourgeois gentilhomme*, une des nombreuses pièces qu'il a écrites. Comme tu le verras, à cette époque, le français était un peu différent de ce qu'il est aujourd'hui. Porte une attention particulière à la façon dont le texte est présenté et écrit (choix des mots ou des expressions, tournures de phrases).

Le bourgeois gentilhomme

Acte II, fin de la scène IV

Monsieur Jourdain est un bourgeois assez naïf. Il voudrait écrire une courte lettre d'amour à une belle marquise, mais il ne sait pas comment faire. Il demande donc conseil à son maître de philosophie (professeur privé que se payaient à l'époque les gens riches).

Monsieur Jourdain

MONSIEUR JOURDAIN :

Au reste, il faut que je vous fasse une confidence. Je suis amoureux d'une personne de grande qualité, et je souhaiterais que vous m'aidassiez à lui écrire quelque chose dans un petit billet que je veux laisser tomber à ses pieds.

MAÎTRE DE PHILOSOPHIE :

Fort bien.

MONSIEUR JOURDAIN :

Cela sera galant, oui.

MAÎTRE DE PHILOSOPHIE :

Sans doute. Sont-ce des vers que vous lui voulez écrire ?

MONSIEUR JOURDAIN :

Non, non, point de vers.

MAÎTRE DE PHILOSOPHIE :

Vous ne voulez que de la prose ?

MONSIEUR JOURDAIN :

Non, je ne veux ni prose ni vers.

Maître de philosophie

Maître de philosophie:

Il faut bien que ce soit l'un ou l'autre.

Monsieur Jourdain:

Pourquoi?

Maître de philosophie:

Par la raison, monsieur, qu'il n'y a pour s'exprimer
que la prose ou les vers.

Monsieur Jourdain:

Il n'y a que la prose ou les vers?

Maître de philosophie:

Non, monsieur: tout ce qui n'est point prose est vers; et tout ce qui n'est point
vers est prose.

Monsieur Jourdain:

Et comme l'on parle, qu'est-ce que c'est donc que cela?

Maître de philosophie:

De la prose.

Monsieur Jourdain:

Quoi! quand je dis: «Nicole, apportez-moi mes pantoufles, et me donnez
mon bonnet de nuit», c'est de la prose?

Maître de philosophie:

Oui, monsieur.

Monsieur Jourdain:

Par ma foi! Il y a plus de quarante ans que je dis de la prose sans que j'en
susse rien; et je vous suis le plus obligé du monde de m'avoir appris cela.
Je voudrais donc lui mettre dans un billet: «Belle marquise, vos beaux yeux
me font mourir d'amour», mais je voudrais que cela fût mis d'une manière
galante, que ce fût tourné gentiment.

Maître de philosophie:

Mettre que les feux de ses yeux réduisent votre cœur en cendres; que vous
souffrez nuit et jour pour elle les violences d'un...

Monsieur Jourdain:

Non, non, non, je ne veux point tout cela; je ne veux que ce que je vous ai dit:
«Belle marquise, vos beaux yeux me font mourir d'amour.»

Maître de philosophie :

Il faut bien étendre un peu la chose.

Monsieur Jourdain :

Non, vous dis-je, je ne veux que ces seules paroles-là dans le billet, mais tournées à la mode, bien arrangées comme il faut. Je vous prie de me dire un peu, pour voir, les diverses manières dont on les peut mettre.

Maître de philosophie :

On les peut mettre premièrement comme vous avez dit :
« Belle marquise, vos beaux yeux me font mourir d'amour. » Ou bien :
« D'amour mourir me font, belle marquise, vos beaux yeux. » Ou bien :
« Vos yeux beaux d'amour me font, belle marquise, mourir. » Ou bien :
« Mourir vos beaux yeux, belle marquise, d'amour me font. » Ou bien :
« Me font vos yeux beaux mourir, belle marquise, d'amour. »

Monsieur Jourdain :

Mais, de toutes ces façons-là, laquelle est la meilleure ?

Maître de philosophie :

Celle que vous avez dite : « Belle marquise, vos beaux yeux me font mourir d'amour. »

Monsieur Jourdain :

Cependant je n'ai point étudié, et j'ai fait cela tout du premier coup. Je vous remercie de tout mon cœur, et vous prie de venir demain de bonne heure.

Maître de philosophie :

Je n'y manquerai pas.

Il sort.

1. Placez-vous en équipe de trois et répondez aux questions suivantes. Choisissez un animateur ou une animatrice, un ou une secrétaire, un ou une porte-parole.

a) Quels sont les indices dans le texte qui vous permettent de dire qu'il s'agit d'une pièce de théâtre?

b) Selon vous, quel est le sens des mots en couleur?

c) Cette pièce est une comédie (pièce comique)? Qu'est-ce qui montre que l'auteur a voulu être comique? Donnez trois exemples.

d) En vous référant à l'explication que donne le maître de philosophie à monsieur Jourdain, diriez-vous que cet extrait du *Bourgeois gentilhomme* est écrit en vers ou en prose?

Présentez vos réponses en grand groupe.

2. À la manière du maître de philosophie, imaginez au moins deux façons de dire chacune des phrases suivantes:

- Nicole, apportez-moi mes pantoufles, et donnez-moi mon bonnet de nuit.

- Gentil poète, vos vers me transportent dans un monde merveilleux!

Choisissez ensuite la phrase que vous préférez et exercez-vous à la dire en assignant à chaque membre de l'équipe une émotion différente (colère, joie, admiration, impatience, indignation, etc.). Présentez votre phrase aux élèves de la classe.

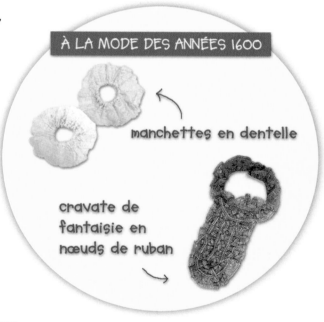

À LA MODE DES ANNÉES 1600

manchettes en dentelle

cravate de fantaisie en nœuds de ruban

 3. Individuellement, notez le titre et le nom de l'auteur de cette pièce dans votre carnet de lecture. Écrivez un commentaire pour exprimer ce qui vous a le plus frappés dans l'extrait de cette pièce. Copiez ensuite une phrase de votre choix et faites un dessin pour illustrer les images qui vous viennent en tête lorsque vous dites cette phrase.

Clés en main

Document reproductible
5

Mes mots

attendre	convenir	chaque façon	ma sœur
blaguer	un défaut	falloir	un soupir
bref	ce détail	la famine	votre sujet
brève	devenir	une farce	la taille
causer	deviner	la fourmi	le travail
cela	distrait	la morale	travailler
certain	distraite	un murmure	un travailleur
certaine	drôle	murmurer	une travailleuse
certainement	exprimer		
la cigale	une fable		
comique	facilement		
comprendre	la facilité		

Mes verbes conjugués

AVOIR

SUBJONCTIF PRÉSENT

Personne	Radical	Terminaison
que j'	ai	e
que tu	ai	es
qu'il/elle	ai	t
que nous	ay	ons
que vous	ay	ez
qu'ils/elles	ai	ent

1. En équipe de deux, trouvez les mots qui correspondent aux définitions. Les réponses sont dans le tableau *Mes mots*.

a) Un verbe qui contient un *s* qui se prononce [z].

b) Un adjectif qui prend un accent circonflexe.

c) Un nom qui s'écrit avec une cédille.

d) Tous les mots qui ont un *c* qui se prononce [s].

e) Tous les mots qui contiennent deux consonnes jumelles.

f) Un verbe qui s'écrit avec un *m* devant le *p*.

g) Un verbe de la même famille que *devin*.

h) Un adjectif qui se termine par un *t* muet.

i) Un synonyme de chacun des mots suivants : *plaisanter, manifester, chuchoter*.

j) Un adjectif masculin qui forme son féminin de façon semblable à *neuf*.

20

k) Un adjectif qui s'écrit de la même façon au masculin et au féminin et qui peut aussi être un nom.

l) Un nom qui contient le son [œ] comme dans *beurre*.

m) Deux verbes qui sont formés d'un même mot de base (verbe) auquel on a ajouté un préfixe différent.

n) Tous les mots qui se terminent par un *e* muet.

2. a) Six mots du tableau *Mes mots* n'ont pas été utilisés au numéro 1. Quels sont-ils?

b) Individuellement, composez une définition pour trois de ces mots. Demandez ensuite à votre coéquipier ou coéquipière de lire vos définitions et d'essayer de deviner les mots définis.

3. Complétez les phrases suivantes avec le verbe *travailler* (à l'indicatif présent) ou avec le nom *travail*. Utilisez les stratégies apprises pour vérifier si vous devez écrire un verbe ou un nom.

a) Pendant que la cigale chante, la fourmi ■ sans relâche.

b) La cigale n'aime pas le ■, elle préfère s'amuser.

c) Les élèves de notre classe ■ fort pour créer leurs marionnettes.

d) Il faut que je termine ce ■ avant d'aller au théâtre.

4. a) Quelles stratégies avez-vous utilisées pour décider d'utiliser un verbe au numéro 3? un nom?

b) Composez une phrase dans laquelle le nom *travail* est au singulier et une autre dans laquelle il est au pluriel.

c) Composez une phrase qui contient le verbe *travailler* à l'indicatif présent à la troisième personne du pluriel.

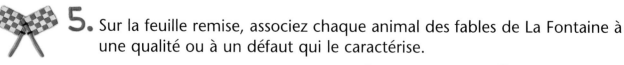

5. Sur la feuille remise, associez chaque animal des fables de La Fontaine à une qualité ou à un défaut qui le caractérise.

a) la cigale   c) la grenouille   Ⓐ la vanité   Ⓒ la volonté

b) la fourmi   d) la tortue   Ⓑ le gaspillage Ⓓ l'économie

À vos plumes

Un poème... pour mieux se connaître

Jean Tardieu, poète français, s'est amusé à composer des poèmes humoristiques sur Molière et La Fontaine. Tu pourras t'en inspirer pour composer à ton tour un poème sur un ou une camarade de classe afin de nous faire connaître ses talents et ses qualités.

Molière

Poquelin sur cette terre,
pour les dames Jean-Baptiste,
pour l'éternité Molière
est né juste 22 ans
après l'année 1600.

Ce grand poète comique
aux yeux si bons et si tristes,
en observant nos travers
a fait rire l'univers.

En 1673
il se sentit mal à l'aise
en jouant, pauvre Molière!

Or, c'était un vrai malade
et quelques heures plus tard
hélas! c'était un vrai mort.

Beaucoup plus heureux que lui
ses héros vivent encore.

La Fontaine

La Fontaine le malin
que j'aime comme un ami
est né à Château-Thierry
en 1621.

Maître des eaux et forêts
il rêvait, il observait.
Dans ses fables ce poète
fait parler toutes les bêtes.

Pourtant, loin des prés et des bois,
dans ce Paris d'autrefois
où les girouettes grincent,
il est mort près de son roi
en 1695.

Source: Jean Tardieu, *Je m'amuse en rimant II*, p. 14, 24-25. © Éditions Gallimard (coll. Folio Cadet), 1992.

Je planifie

En suivant les consignes données par ton enseignant ou enseignante, choisis au hasard le nom d'un ou d'une élève de ta classe. Puis, remplis la feuille qu'on te remettra en consultant cette personne et d'autres élèves qui la connaissent bien.

Choisis ensuite un des deux poèmes de la page précédente. Quelles images te sont venues en tête à la lecture de ce poème? Comment le poème est-il construit: nombre de strophes (groupes de vers), nombre approximatif de mots par vers, structure des rimes, ponctuation? Quels vers te plaisent davantage?

Je rédige

À partir des renseignements recueillis, compose maintenant ton poème sur l'élève choisi. Essaie de créer des images pour faire ressortir ses qualités ou ses talents. Cherche des mots précis et évocateurs. Utilise les comparaisons si tu veux.

Je révise et je corrige

Place-toi avec un ou une élève (autre que celui sur lequel tu écris). À tour de rôle, lisez votre poème pour vérifier s'il fait naître des images, s'il n'y a pas de confusion ou d'ambiguïté.

Échangez ensuite vos poèmes; corrigez le texte que vous avez en main. Utilisez les stratégies apprises pour vérifier l'orthographe des mots, les accords dans les groupes du nom et les accords des verbes avec leur sujet. Remettez la copie corrigée à son auteur ou auteure.

Je mets au propre et je présente

Après avoir vérifié les corrections de ton poème, mets-le au propre et illustre-le. Au moment choisi, lis-le à voix haute et remets-le à son ou à sa destinataire. Conserve précieusement dans ton portfolio le poème qu'on te remettra.

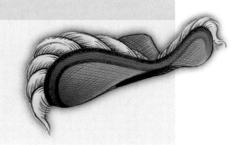

Clés en main

Comédie, mélodrame, entracte, coulisse...,
les mots du théâtre sont pittoresques,
précis et vivants. Amusez-vous à
découvrir le sens de quelques-uns
d'entre eux. En équipe de trois,
faites le travail demandé.

1. Sur la feuille qu'on vous remettra,
associez chaque mot à sa définition.

a) Pièce mimée, jouée sans aucune parole.

b) Pause qui se situe à peu près au milieu
de la représentation.

c) Discours d'une personne seule qui parle
ou pense tout haut.

d) Paroles que le comédien ou la comédienne
dit à part soi et que le public seul est censé
entendre.

e) Pièce amusante caricaturant les défauts
des gens.

f) Dernière répétition d'une pièce avant
qu'elle soit présentée au public.

g) Grandes divisions d'une pièce de théâtre.

h) Voyage d'une troupe qui part jouer son
spectacle de ville en ville.

i) Fermeture momentanée d'un théâtre pour
le repos des artistes.

j) Séance de travail pour que les comédiens
et comédiennes s'habituent à se déplacer
sur scène et règlent les détails de leur jeu.

k) Divisions d'un acte.

scènes

générale

répétition

actes

tournée

relâche

pantomime

monologue

aparté

comédie

entracte

24

2. Sur la feuille remise, associez chaque mot à un chiffre sur l'illustration. Au besoin, consultez votre dictionnaire pour trouver le sens des mots.

| avant-scène | côté cour | côté jardin | coulisse | rideau |

| trou du souffleur | rampe |

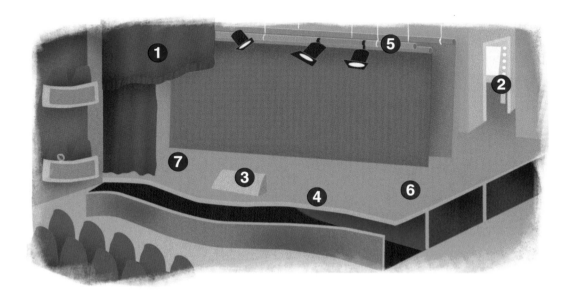

3. Quelques-unes de nos expressions courantes viennent du théâtre. Sur la feuille remise, associez chaque expression à sa définition.

a) Entrer dans la peau d'un personnage.

(A) Être ébloui, étourdi par un coup.

b) Faire une scène.

(B) Savoir se taire.

c) Tenir sa langue.

(C) Être à la meilleure place.

d) Voir trente-six chandelles.

(D) Bien jouer le personnage que l'on va interpréter.

e) Être aux premières loges.

(E) Exploser de colère.

4. Individuellement, composez une belle phrase à partir d'une des expressions données au numéro 3. Présentez votre phrase aux membres de votre équipe, vérifiez l'orthographe des mots et, s'il y a lieu, corrigez vos fautes. Puis, copiez votre phrase, illustrez-la et affichez-la dans la classe à l'endroit indiqué par votre enseignant ou enseignante. Plus tard, placez votre œuvre dans votre portfolio.

Je lis, tu lis, nous lisons...

Connais-tu bien les métiers de la scène? Les textes suivants t'en présentent plusieurs. Choisis le texte qui t'intéresse le plus et lis-le attentivement. Quel métier te conviendrait si tu montais une pièce de théâtre? Aurais-tu les qualités nécessaires pour l'exercer?

Le métier de comédien ou comédienne

Communiquer des émotions, jouer le rôle de différents personnages, capter l'attention du public jusqu'à la fin de la pièce, voilà le rôle des comédiens et comédiennes.

La voix du corps

Un bon comédien ou une bonne comédienne doit savoir s'exprimer autant avec son corps qu'avec sa voix. Son plus grand défi est de rendre le personnage joué vivant et naturel. Par exemple: à chaque âge de la vie correspond une façon de marcher. L'enfant va, vient, court, saute... Le jeune homme a une démarche assurée; la jeune femme a une démarche légère... Le vieil homme et la vieille dame se déplacent à pas lents. Pour rendre son jeu le plus vrai possible, le comédien ou la comédienne marchera donc au pas du personnage qu'il ou qu'elle joue.

La taille des comédiens et comédiennes peut influencer leur jeu sur scène. Un comédien ou une comédienne de petite taille pourra plus facilement se mêler aux éléments du décor ou arriver en cachette. Un ou une autre de grande taille va faire oublier les éléments qui l'entourent: détail du décor, personnages plus petits, etc. Les metteurs ou metteures en scène tiennent souvent compte de ce facteur lors de la distribution des rôles ou, plus tard, lorsqu'ils dirigent les comédiens et comédiennes.

La silhouette des comédiens et comédiennes peut aussi influencer le type de personnage qu'ils seront appelés à jouer. Une silhouette plutôt ronde, par exemple, pourra ajouter un côté comique au personnage. Une silhouette mince conviendra mieux à un personnage sérieux.

Par ailleurs, si le jeu exige un personnage immobile, le comédien ou la comédienne devra alors miser davantage sur sa voix. Il ou elle devra jouer avec les différents tons de celle-ci, mais surtout y mettre le plus d'expression possible.

Les qualités requises

Un bon comédien ou une bonne comédienne doit avoir la capacité d'exprimer les multiples aspects de sa personnalité et de se mettre dans la peau de son personnage.

Il ou elle doit par ailleurs savoir parler fort pour bien se faire entendre.

Il faut aussi une excellente mémoire. Un comédien ou une comédienne doit non seulement connaître son texte par cœur, mais aussi celui des autres personnes sur scène. Sinon, comment serait-il possible de savoir à quel moment donner la réplique ?

Par ailleurs, les comédiens et comédiennes doivent interpréter la pièce en suivant attentivement les consignes du metteur ou de la metteure en scène. C'est lui ou elle la tête de ce grand spectacle.

Au théâtre, le talent ne suffit pas. Il faut une très grande force de caractère. On doit pouvoir surmonter le doute, la critique et la peur de l'échec qui sont, comme on dit, un des inconvénients de la gloire !

Finir en beauté

Que la pièce se soit bien ou moins bien déroulée, les comédiens et comédiennes doivent tous aller saluer leur public à la fin du spectacle pour les remercier d'y avoir assisté. C'est un signe de politesse que les spectateurs et spectatrices apprécient et ils le démontrent par leurs applaudissements.

D'autres métiers de la troupe

Quand le rideau se lève, les lumières sont dirigées sur les comédiens et comédiennes. Les personnages prennent vie. Pour arriver à ce résultat, bien des gens travaillent dans l'ombre…

Le souffleur ou la souffleuse

Cachée sous la scène ou dissimulée derrière les coulisses, cette personne suit la pièce et souffle les paroles aux comédiens et aux comédiennes qui oublient subitement leurs répliques. Grâce au souffleur ou à la souffleuse, on évite les longs silences embarrassants et le stress relié à la peur des trous de mémoire.

> **Qualité :** Avoir une grande capacité de concentration.

Le décorateur ou la décoratrice

Le décorateur ou la décoratrice conçoit et bâtit les décors de la pièce. Il ou elle doit bien connaître les goûts et les styles des différentes époques. Ce sont souvent les décors les plus simples qui sont les plus suggestifs. La force de cette personne est donc d'être capable de créer des effets à partir de presque rien. Par exemple, un néon qui clignote derrière une fenêtre peut suggérer un appartement de ville.

> **Qualité :** Avoir beaucoup de créativité.

L'éclairagiste

On croirait parfois que l'éclairagiste fait de la magie sur la scène. Il ou elle fait apparaître un personnage ou un détail du décor en l'éclairant d'un faisceau de lumière. L'éclairagiste doit bien connaître le texte afin de toujours diriger ses projecteurs au bon endroit. Il ou elle peut jouer avec les couleurs et l'intensité lumineuse pour changer l'ambiance d'une scène : choisir un éclairage sombre pour le drame, la nuit ou les complots, par exemple.

> **Qualité :** Comprendre l'ambiance à créer.

L'accessoiriste

L'accessoiriste travaille en collaboration avec le costumier ou la costumière. C'est lui ou elle qui trouve tous les accessoires dont se serviront les comédiens et comédiennes.

> **Qualité :** Avoir le souci du détail.

L'ingénieur ou l'ingénieure du son

L'ingénieur ou l'ingénieure du son est responsable de l'ambiance sonore d'une pièce. Il ou elle enregistre à l'avance des bruits, des voix ou de la musique. Durant la pièce, il ou elle s'installe devant une console au fond de la salle, pour bien suivre la pièce et diffuser ses enregistrements aux bons moments.

Comme au cinéma, le son joue un rôle important au théâtre, il fait partie du spectacle. Il n'y a qu'à penser à une scène d'horreur sans musique : aurait-on les mêmes frissons ?

> **Qualité :**
> Avoir une très bonne oreille.

Le costumier ou la costumière

Le costumier ou la costumière se procure les costumes que porteront les comédiens et comédiennes. Il ou elle doit bien connaître les vêtements à travers les âges. Une personne sera habillée différemment si elle vit dans les années 1800 ou dans les années 2000. Par ailleurs, le costumier ou la costumière doit se servir des vêtements pour accentuer les traits de personnalité : ajouter de gros ventres aux gourmands, habiller de noir une personne sévère, etc.

> **Qualité :**
> Avoir du talent pour créer ou agencer des vêtements.

Le maquilleur ou la maquilleuse

Le maquilleur ou la maquilleuse s'occupe de transformer les visages pour que les comédiens et comédiennes ressemblent le plus possible aux personnages qu'ils incarnent. Il ou elle doit savoir comment rajeunir ou vieillir un visage ou comment faire ressortir certains traits de personnalité : des sourcils en broussaille pour le vieux savant, un long nez pour le fouineur, etc. Au théâtre, les maquillages sont toujours exagérés de façon que les spectateurs et spectatrices assis au fond de la salle puissent bien les voir.

> **Qualité :**
> Savoir faire ressortir une expression d'un simple coup de crayon.

Le coiffeur ou la coiffeuse

Le travail du coiffeur ou de la coiffeuse vient compléter celui du maquilleur ou de la maquilleuse. Avec des techniques et des accessoires, la personne qui exerce ce métier ajoute la touche finale à la transformation du comédien ou de la comédienne : mise en plis ou perruque, cheveux blancs, crâne chauve, etc.

> **Qualité :**
> Être inventif ou inventive.

Le métier de metteur ou metteure en scène

Qui est donc ce personnage? À quoi sert-il? Le metteur en scène est le PREMIER SPECTATEUR du spectacle. Il se tient derrière les projecteurs et observe attentivement ce qui se passe sur la scène. Cette distance lui permet d'enregistrer les effets scéniques et les réactions du public. Comme un miroir, il corrige par ses réflexions le jeu des comédiens. Ne faisant que regarder, le metteur en scène conserve un œil neuf et critique à tout instant. [...]

Le metteur ou la metteure en scène doit avoir une vue d'ensemble du spectacle.

Au théâtre, comme dans un laboratoire, rien n'est laissé au hasard. Il faut souvent expérimenter de nouveaux effets. Quand plusieurs possibilités de jeu se présentent, chacune doit être essayée, pratiquée. [...] Parfois, le metteur en scène quitte la salle et monte sur le plateau. Il remplace un acteur, qui, lui, observera d'en bas ce que le metteur en scène fait à sa place. [...]

Avoir des idées originales, être capable d'écouter les propositions des autres membres de la troupe.

Car pendant une répétition, le même morceau est répété plusieurs fois jusqu'à ce que la meilleure solution surgisse. Pour pouvoir la choisir, il faut garder en tête la totalité du déroulement scénique – ce que verra le spectateur à la première représentation. [...]

L'appréciation finale est donnée par les spectateurs qui occupent maintenant la place du metteur en scène. [...]

Et s'il y a des erreurs? Pas de panique surtout! La pièce continue, et les comédiens peuvent «faire avec l'erreur», l'intégrer, comme si c'était voulu.

Ce n'est qu'à la fin de la représentation que les comédiens se mettent «en conseil de guerre». Le metteur en scène, qui, lui, a essayé d'enregistrer les

Le metteur ou la metteure en scène doit enregistrer les réactions du public.

réactions du public – s'il ne courait pas comme un fou dans les coulisses pour encourager les copains – aura noté, remarqué les imperfections du jeu. Aura-t-on assez de temps pour faire une répétition avant la prochaine représentation?

Mais attention! La première qualité du metteur en scène reste sa maîtrise et sa patience. Il encourage et demeure calme et souriant: «Bravo [...]! C'était épatant!»

Puis, quand les émotions et les nerfs se sont calmés, il déballe doucement ses critiques pour améliorer le travail.

Source: Peter K. Alfaenger, *Le théâtre*, p. 26-27. © Éditions Hurtubise HMH, Montréal, 1980.

Les différentes façons de diriger

C'est le metteur ou la metteure en scène qui dirige les comédiens et les comédiennes pendant les répétitions. Tous ne dirigent pas de la même façon: certaines personnes savent exactement ce qu'elles veulent et exigent des comédiens et des comédiennes une obéissance absolue. À l'opposé, d'autres aiment écouter les idées apportées par les comédiens et comédiennes et par les autres artistes, et acceptent de modifier leur vision de la pièce. Ces metteurs et metteures en scène n'hésitent pas à apporter des changements à leur pièce, même après qu'elle a été jouée de nombreuses fois. C'est le cas, notamment, du metteur en scène québécois Robert Lepage.

1. Dans ton carnet de lecture, explique quel métier de la scène te conviendrait le mieux.

2. Place-toi en équipe avec trois camarades qui ont choisi le même texte que toi. Sur la feuille qu'on vous remettra, remplissez la partie qui porte sur le texte lu.

Le métier de comédien ou comédienne

- Quelles sont les qualités requises pour être comédien ou comédienne ?

- Comment pourriez-vous décrire ce métier ?

D'autres membres de la troupe

- Nommez les membres d'une troupe de théâtre. Décrivez chacun d'eux en quelques phrases.

Le métier de metteur ou metteure en scène

- Quelles sont les qualités requises pour être metteur ou metteure en scène ?

- Comment pourriez-vous décrire ce métier ?

Séparez ensuite votre équipe en deux : deux membres iront visiter les autres équipes afin d'aller chercher l'information sur chacun des textes que vous n'avez pas lus ; les deux autres resteront sur place pour accueillir les « visiteurs » et « visiteuses » des autres équipes.

Pour terminer, faites le point, en équipe, sur l'information recueillie.

Clés en main

Mes mots

l'acrobate
admirable
une **admiration**
admirer
votre **attention**
ce **ballet**
le **bouffon**
notre **chance**
chanceux
   chanceuse
cette **danse**
danser
le **danseur**
   la **danseuse**

élégant
   élégante
fier
   fière
ma **fierté**
illustre
cet **intérêt**
le **jongleur**
   la **jongleuse**
un **marchand**
   une **marchande**
le **meilleur**
   la **meilleure**
ton **modèle**

paraître
la **perfection**
chaque **qualité**
quel
   quelle
rêver
votre **satisfaction**
satisfaire

souple
surprendre
quel **talent**
tel
   telle
tellement
vraiment

Mes verbes conjugués

ÊTRE

SUBJONCTIF PRÉSENT

Personne	Radical	Terminaison
que je	soi	**s**
que tu	soi	**s**
qu'il/elle	soi	**t**
que nous	soy	**ons**
que vous	soy	**ez**
qu'ils/elles	soi	**ent**

Faites le travail demandé en équipe de deux.

1. Dans chaque série donnée ci-dessous, tous les mots, sauf un, ont en commun une des particularités suivantes :

lettre muette finale sauf *e*	double consonne	accent
e muet en finale	*s* entre deux voyelles	

Dans chaque cas, relevez la particularité et trouvez l'intrus.

a) ballet, bouffon, illustre, qualité

b) fière, intérêt, tel, paraître

c) élégant, marchand, meilleur, satisfait

d) acrobate, admirable, chance, talent

e) chanceuse, danser, danseuse, jongleuse

2. Complétez chaque phrase avec un mot de la même famille que *danse*.

> Les couples de ■ s'élancent sur la piste au son de la musique. Ma sœur est une excellente ■, contrairement à son copain qui n'arrête pas de lui marcher sur les pieds. Pourtant, ma sœur l'entraîne régulièrement à des soirées de danse, car elle aime beaucoup ■.

3. Indicatif présent ou subjonctif présent? Écrivez les verbes *avoir* ou *être* au temps et à la personne qui conviennent. Consultez vos tableaux de conjugaison.

a) J'exige qu'il ■ son texte en main pour la lecture de la pièce.

b) Nous ■ tous hâte de jouer sur scène.

c) Je souhaite que tous les élèves ■ présents pour la générale.

d) Il est vraiment inadmissible que tu n'■ pas ton costume.

e) Si vous ■ excités, vous aurez de la difficulté à vous concentrer.

f) Il faut que je ■ à l'école deux heures avant la représentation.

4. En équipe de quatre, suivez la démarche qu'on vous propose pour étudier vos mots de vocabulaire.

- Recopiez tous les mots sur des étiquettes. Répartissez les mots en nombre égal entre les membres de l'équipe.

- Placez les étiquettes dans une enveloppe.

- À tour de rôle, tirez au hasard un mot de l'enveloppe et demandez à un membre de l'équipe de l'épeler. Si cette personne l'épelle correctement, c'est à son tour de tirer un mot. Sinon, on lui remet le mot et elle demande à un autre membre de l'équipe de l'épeler. Le jeu se termine lorsque tous les mots ont été épelés.

5. Faites ce travail individuellement. En vous inspirant du modèle présenté au numéro 2, composez un texte de trois ou quatre phrases avec des mots de la même famille que *jongleur*, *acrobate* ou *marchand*. Consultez d'abord votre dictionnaire pour trouver le plus de mots possible. Écrivez ensuite votre texte. Révisez-le et corrigez-le.

34

La culture, c'est comme les confitures...

Oyez! Oyez! gentilshommes et gentes dames!

Vous êtes invités à lire ce prochain dossier

Dans lequel l'histoire du théâtre nous allons vous raconter.

De grands auteurs nous allons vous présenter,

Et de nombreuses époques nous allons visiter!

Êtes-vous tous parés?

Nous pouvons alors commencer...

Le théâtre à travers le temps

L'être humain s'intéresse au théâtre depuis très longtemps. Les enfants de tous les peuples et de toutes les époques jouent, miment, inventent... Les adultes, eux, se racontent des histoires de chasseurs, de héros, de dieux, puis ils les chantent et les dansent...

Les Égyptiens auraient, selon certains historiens et archéologues, inventé le théâtre vers **l'an 1500 avant Jésus-Christ**. On aurait découvert, sur les bas-reliefs d'un temple en Égypte, trois textes dramatiques qui auraient été joués annuellement sur les rives d'un lac sacré à l'occasion de grandes fêtes. Toutefois, beaucoup de détails (lieux, musique, etc.) restent ignorés.

A

B

Pendant la période de l'Antiquité (vers **l'an 500 avant Jésus-Christ**), les Grecs présentaient des pièces de théâtre en plein air. On construisait d'immenses théâtres circulaires et les acteurs jouaient, dansaient et chantaient. Ils portaient des masques sérieux pour la tragédie, drôles pour la comédie. L'auteur le plus connu de l'Antiquité fut sans doute Sophocle. Il serait mort à l'âge de 90 ans. Pour les gens de cette époque, il était très rare de mourir si vieux. C'est pourquoi Sophocle était perçu comme un être extraordinaire, presque un dieu !

En France, au Moyen Âge (**entre -500 et 1500 environ**), des troubadours se promenaient de ville en ville pour raconter des passages de la Bible. Pour plaire au public, on introduisait des scènes comiques dans les textes religieux. Cependant, cela ne plaisait pas aux représentants de l'Église. Ces derniers se mirent alors à «jouer» eux-mêmes des passages célèbres de l'histoire sainte, d'abord dans l'église, puis sur le parvis et même dans la rue. Les dialogues de leurs pièces étaient d'abord en latin (langue des gens cultivés), puis en français (langue populaire).

C

-2000   -1500   -1000   -500

A   B

36

Par la suite, dans les **années 1500**, des comédiens ambulants, travaillant dans des foires, commencèrent à se regrouper pour former de petites troupes théâtrales. Ils allaient de ville en ville, transportant leur matériel dans des chariots. En Angleterre, les meilleures troupes étaient financées par des seigneurs. On présentait des pièces comme *Othello* ou *Roméo et Juliette* de William Shakespeare. On jouait encore à ciel ouvert, mais les décors se faisaient plus présents. En Italie, la *commedia dell'arte* voyait

le jour à cette époque. Les comédiens y interprétaient des personnages typiques (Arlequin, Pantalon…) en improvisant leur texte.

Dans les **années 1600**, les troupes régulières se constituèrent et s'organisèrent. Elles étaient invitées à présenter leurs pièces dans les salons des gens riches. Plus tard, elles iront à la cour du roi. C'est à cette époque que furent introduits les trois coups que l'on frappe sur le plancher au début des pièces: on voulait ainsi attirer l'attention de l'auditoire parfois un peu trop bruyant!

C'est aussi à cette époque qu'un auteur célèbre, Molière, introduisit ce qu'on appelle les « actes » (et les entractes…). Parce qu'on jouait maintenant à l'intérieur, qu'on avait besoin de lumière et que celle-ci était fournie par des chandelles qui prenaient une demi-heure à brûler, Molière dut diviser sa pièce en courtes parties de 30 minutes… et chaque partie fut appelée un « acte ». Les actes étaient séparés en scènes, qui correspondaient aux entrées et aux sorties des personnages.

500   1000   1500 1600 1700 1800 1900 2000

C   D E F G

Dans les **années 1700 et 1800**, les gens devinrent passionnés de théâtre. Les salles de spectacle se multiplièrent. Toutes les classes sociales s'y côtoyaient. Le personnage principal n'était plus seulement un grand héros mais aussi quelqu'un d'ordinaire plongé dans des situations difficiles. De grands auteurs s'illustrèrent à ce moment, notamment Victor Hugo, qui écrivit *Les Misérables*. Ce roman fabuleux donnera naissance, des années plus tard, à une comédie musicale très populaire.

F

Au début des **années 1900**, le théâtre subit une révolution technique en raison de la découverte de l'électricité. L'éclairage devint un élément essentiel.

G

De plus, grâce aux nouvelles connaissances en chimie, on put créer des décors impressionnants avec de nouveaux matériaux: on était bien loin de la simple toile tendue au fond de la scène! C'est à cette époque également que fut créé le métier de metteur ou metteure en scène. Il était devenu essentiel qu'une personne joue le rôle de chef et dirige l'ensemble des artistes gravitant autour de la scène.

Le théâtre est un monde qui évolue sans cesse. Les comédiens et comédiennes, les auteurs et auteures, les metteurs et metteures en scène ainsi que les techniciens et techniciennes qui font partie du monde du spectacle sont toujours à la recherche de nouveaux moyens pour capter l'attention de l'auditoire.

Projet

En scène !

 Voici venu le temps de réaliser un projet lié au théâtre. Que pourriez-vous faire ? En grand groupe, lisez les suggestions suivantes et faites votre choix (A, B ou C). Suivez les consignes données dans la démarche pour la réalisation du projet et pour le regroupement en équipe.

A Que diriez-vous de présenter, en équipe, un extrait de la pièce *Le grand jour* (p. 41 à 48) ? Si vous retenez cette idée, lisez l'extrait en suivant la démarche présentée à l'étape *Exploration* (p. 40).

Puis, choisissez le personnage que vous aimeriez jouer. Faites valider votre choix par votre enseignant ou enseignante. Relisez votre extrait en vous regroupant en équipe. Individuellement, apprenez votre texte. Consultez le document *Comment apprendre une pièce* mentionné à l'étape *Réalisation* (p. 40).

Au moment choisi, présentez votre extrait. Serez-vous costumés ? Aurez-vous quelques accessoires ?

Finalement, évaluez ce que vous avez appris en suivant la démarche présentée à l'étape *Évaluation* (p. 40).

B Peut-être préférez-vous inventer votre propre scène pour l'ajouter à l'extrait de la pièce *Le grand jour* ? Si cette idée vous emballe, lisez d'abord l'extrait en suivant la démarche présentée à l'étape *Exploration* (p. 40). Puis, en équipe de deux, choisissez un talent que vous aimeriez recevoir. Composez une courte scène dans laquelle Mme La Grande Surprise viendrait vous remettre ce talent. Inspirez-vous des scènes de la pièce. Jouez ensuite cette scène devant les élèves de la classe.

Finalement, évaluez ce que vous avez appris en suivant la démarche présentée à l'étape *Évaluation* (p. 40).

C Vous pourriez également choisir un projet de grande envergure : monter une autre pièce de théâtre de votre choix. Pour ce faire, suivez les étapes présentées à la page suivante.

Exploration

Vous devez d'abord découvrir le texte que vous jouerez. Comment? Observez-en la présentation, faites-en une lecture individuelle et, ensuite, une lecture collective. Pour vous aider, consultez le document *Comment lire une pièce de théâtre* sur la feuille qu'on vous remettra.

Planification

Vous devez maintenant vous distribuer les tâches. Prenez quelques minutes pour réfléchir. Qu'aimeriez-vous faire? Jouer un personnage principal ou secondaire? Vous occuper des décors, des costumes, des ambiances sonores, de l'éclairage?

Répartissez-vous le travail en suivant les consignes données par votre enseignant ou enseignante. Sur votre fiche de renseignements, notez vos responsabilités.

Réalisation

Voici d'autres étapes à suivre pour mener à bien votre projet: apprendre la pièce, confectionner les costumes et les décors et annoncer le spectacle. À ce sujet, lisez les documents *Comment apprendre une pièce* et *Comment confectionner des costumes et construire des décors*. Pour annoncer votre spectacle, vous pouvez réaliser une affiche; consultez la page 49 de votre manuel pour vous aider.

Communication

Le grand jour est arrivé. Avant d'entrer en scène, les comédiens et les comédiennes doivent se concentrer, se préparer l'esprit et le corps. Pendant ce temps, les autres membres de la troupe effectueront les dernières vérifications.

Que le spectacle commence!

Évaluation

Le projet que vous venez de réaliser vous a permis de développer plusieurs compétences. Évaluez ce que vous avez appris en remplissant la feuille qu'on vous remettra. Conservez cette autoévaluation dans votre portfolio.

Un jour de beau temps dans le petit village de Luneville arrive inopinément madame La Grande Surprise... celle qui vient distribuer les talents. On s'empresse de réclamer les plus *éclatants* bien sûr : talent de chanteur... de danseur... talent de *faire beaucoup d'argent* mais... madame La Grande Surprise ne voit pas les choses de cette façon. Pourquoi ? Lis l'extrait suivant pour le découvrir. Trouve les indices qui t'indiquent qu'il s'agit bien d'une pièce de théâtre. Place-toi ensuite en équipe pour discuter de ta lecture.

Le crieur du village — Premier citoyen — Deuxième citoyen — Troisième citoyen — Quatrième citoyen — Cinquième citoyen — Monsieur le maire — Madame La Grande Surprise — Les pâtissiers

Le grand jour

La pièce complète comporte 29 personnages (8 principaux et 21 secondaires). L'extrait suivant en compte 11.

Décor

Une place de village située devant les murs d'un château.
Quatre blocs ou «comptoirs».
Trois escabeaux.

Ouverture

On entend tout d'abord quelques mesures frappées sur un tambour...
Un élève s'avance sur la scène.

Mesdames et Messieurs. L'histoire se passe il y a très très longtemps dans un petit village appelé... Luneville !

Et maintenant PLACE À NOTRE SPECTACLE !

Il frappe les traditionnels trois coups d'ouverture.

Note de mise en scène:

> *Durant cette très courte allocution, le premier et le deuxième citoyens vont se «cacher» derrière les blocs ou comptoirs 1 et 4, c'est-à-dire ceux qui sont aux extrémités.*

Place du village

> *Air de fête... Il y a des ballons... jongleurs et acrobates... Peu à peu la musique baisse et demeure en sourdine durant les répliques qui suivent... [...]*

LE CRIEUR DU VILLAGE:

> Oyez! Oyez! Bonnes gens, citoyens et citoyennes. Préparez vos sacs, préparez vos coffres, le grand jour est arrivé! Oyez! Oyez! Bonnes gens, citoyens et citoyennes. Préparez vos sacs, préparez vos coffres, le grand jour est arrivé!

> *Il traverse la scène... et sort.*

PREMIER CITOYEN, *caché derrière le bloc 1 et se levant d'un bond*:

> ...Quel grand jour? Mais qu'est-ce qui se passe?... Qu'est-ce qui arrive?...

DEUXIÈME CITOYEN, *caché derrière le bloc 4. Même jeu*:

> Eh oui? Comment ça, préparez vos sacs, préparez vos coffres? Mais pourquoi? On ne m'a pas prévenu moi! Hé! Jeune homme! Attendez!... Attendez!...

> *Ils sortent à la suite du crieur.*

Scène 1

> *Le troisième et le quatrième citoyens entrent ensemble.*
> *Le premier tient un grand sac ouvert, le second tire un coffre...*

TROISIÈME CITOYEN, *heureux*:

> Enfin! Depuis le temps
> qu'on attendait ce jour-là!
> Moi, mon sac est prêt,
> et j'ai pris le plus
> grand que
> j'ai trouvé!

QUATRIÈME CITOYEN :

Ah oui ? Mais c'est très peu, mon cher ami, un sac ! Moi, comme vous voyez, je n'ai pas pris de chance et je me suis acheté un coffre immense ! [...]

Scène 2

MONSIEUR LE MAIRE, *de très mauvaise humeur* :

Non mais... non mais... non mais...

Il grogne.

AAAAAHHHH ! Je suis de très mauvaise humeur ! Ah... je suis de très très mauvaise humeur !...

S'adressant aux autres citoyens.

Je suis tellement de mauvaise humeur... que je ne vous cacherai pas que je suis de très très très... mauvaise humeur !

TROISIÈME CITOYEN :

Monsieur le maire ! Vous êtes tout rouge...

QUATRIÈME CITOYEN :

et blanc...

TROISIÈME CITOYEN :

Et même les deux, je dirais !

QUATRIÈME CITOYEN :

Est-ce qu'on peut faire quelque chose pour vous ?

LE MAIRE :

OUI ! Vous pouvez faire quelque chose pour moi ! Vous pouvez me dire enfin QUI s'en vient dans mon village et comment ça se fait que MOI... le DÉCIDEUR... le plus FORT... le plus... le plus...

TROISIÈME CITOYEN :

... EXTRAORDINAIRE...!

LE MAIRE :

Non !

QUATRIÈME CITOYEN :

Le plus COURAGEUX !

LE MAIRE :

Non plus !

TROISIÈME ET QUATRIÈME CITOYENS :

Le plus INTELLIGENT !

LE MAIRE :

Voilà !

Tous applaudissent.

TOUS :

Bravo, Monsieur le maire ! Bravo !

LE MAIRE :

Merci, mes amis, merci ! COMMENT ÇA SE FAIT DONC QUE JE N'AI PAS ÉTÉ MIS AU COURANT DE CET ÉVÉNEMENT ! C'EST IN-AD-MIS-SI-BLE ! ET D'AILLEURS, DE QUEL ÉVÉNEMENT S'AGIT-IL ?

TROISIÈME CITOYEN :

COMMENT...? MAIS VOUS NE SAVEZ PAS ?

LE MAIRE :

Non...

QUATRIÈME CITOYEN :

Nous allons avoir la visite de MADAME LA GRANDE SURPRISE !

LE MAIRE :

Madame La Grande Surprise ? Mais qu'est-ce qu'elle vient faire ici ?

TROISIÈME CITOYEN :

Mais... monsieur le maire... C'EST LE JOUR DE LA DISTRIBUTION DES TALENTS !

LE MAIRE :

La distribution des prix ?... Oh youppie... youppie... la distribution des prix !

TROISIÈME ET QUATRIÈME CITOYENS :

Pas des prix... des talents !

LE MAIRE :

Des talents ?

TROISIÈME ET QUATRIÈME CITOYENS :

Des talents !

LE MAIRE :

Mais qu'est-ce que je vais faire ? Il me semble que je les ai déjà tous !

TROISIÈME CITOYEN :

Oh, mais chut !... chut ! J'entends le crieur du village qui revient !

Place du village.

Le crieur du village s'approche.

LE CRIEUR DU VILLAGE :

ATTENTION...
ATTENTION...
MADAME
LA GRANDE SURPRISE ARRIVE...!
ATTENTION...
ATTENTION...
LA VOILÀ!

Le crieur du village demeure en scène.
Tous se taisent.
Musique.
Entrée de madame La Grande Surprise.

Madame La Grande Surprise entre, assise sur un chariot tiré par un dragon...
Elle a avec elle un grand livre... et un très grand sac devant contenir tous les
talents... Elle s'installe... Le dragon se retire.

MADAME LA GRANDE SURPRISE :

Mesdames et Messieurs et bonnes gens du village... Grand bonjour à tous!
Je viens vous offrir aujourd'hui tous les talents que vous pouvez imaginer!...
Des talents qui chantent... des talents qui dansent, des talents qui restent plus
tranquilles, mais qui sont pleins de superbes couleurs...! À qui l'honneur et
par qui dois-je commencer ma distribution?

TOUS :

Par moi moi moi moi moi...!

MADAME LA GRANDE SURPRISE :

Oh la la! Silence! Il faut de l'ordre ici!

CINQUIÈME CITOYEN, *juché sur une échelle* :

Eh! Madame La Grande Surprise, moi, j'ai une question à vous poser
avant la distribution!

MADAME LA GRANDE SURPRISE :

Oui, mon ami... quelque chose vous inquiète?

CINQUIÈME CITOYEN

Oui! Dites-moi, madame La Grande Surprise... à quoi ça sert... des talents?

MADAME LA GRANDE SURPRISE:

À quoi ça sert, les talents?... Mais ça sert à mettre du soleil dans nos vies et à rendre les gens plus heureux!

CINQUIÈME CITOYEN:

Même les petits talents?

MADAME LA GRANDE SURPRISE:

Il n'y a pas de petits talents, mon ami... Ils sont tous exactement de la même grosseur...! Il y en a qui font plus de bruit, c'est vrai... mais ceux qui en font moins ont souvent plus de couleurs... ou plus de saveur...! Est-ce que ça répond à votre question?

CINQUIÈME CITOYEN:

Ah oui, sûr! Comme ça, je vais être supercontent même si je n'ai pas un talent de superpianiste!

MADAME LA GRANDE SURPRISE:

Vous allez être super content, je vous le supergarantis!

À tous:

On commence?

TOUS:

On commence!

Scène 5

MADAME LA GRANDE SURPRISE:

Alors... dans mon grand livre, c'est écrit: Monsieur le maire Gustave Latrémouille!

MONSIEUR LE MAIRE:

Monsieur le maire Gustave Latrémouille, c'est moi! C'EST MOI! C'EST MOI! [...]

Madame La Grande Surprise sort de son sac un chapeau de pâtissier...

MADAME LA GRANDE SURPRISE:

Monsieur le maire... voici pour vous le talent de pâtissier!

LE MAIRE:

Le talent de pâtissier? Ah non! Je n'en veux pas...!

MADAME LA GRANDE SURPRISE:

Ah bon... mais pourquoi donc?

LE MAIRE:

Mais qu'est-ce que vous voulez que je fasse avec un talent de pâtissier?... Moi, ce que je veux, c'est avoir le talent de faire beaucoup beaucoup beaucoup d'argent...

46

Madame La Grande Surprise:

Ah, mais mon cher ami, vous tombez bien mal... je n'ai pas ça ici!

Le maire:

Comment ça, vous n'avez pas ça ici?

Madame La Grande Surprise:

Parce que... faire beaucoup beaucoup d'argent... ce n'est pas un talent!

Le maire:

Ah bon! Et si ce n'est pas un talent, qu'est-ce que c'est alors?

Madame La Grande Surprise:

C'est un problème!

Le maire:

Mais... je ne veux pas de problèmes, moi!

Madame La Grande Surprise:

Alors, si vous ne voulez pas de problèmes, prenez le talent de pâtissier!...

Le maire:

Beurk!!!

Madame La Grande Surprise:

Dites-moi, monsieur le maire, qu'est-ce qui vous rend le plus heureux dans la vie?

Le maire:

Moi? Ce qui me rend le plus heureux dans la vie, c'est de manger de bons gros gâteaux pleins de crème et de chocolat!

Madame La Grande Surprise:

Alors... le talent de pâtissier... c'est pour vous!

Le maire:

Est-ce que les pâtissiers sont heureux?

Madame La Grande Surprise:

Si les pâtissiers sont heureux? Bien sûr que oui et ils rendent les autres heureux aussi... tenez, regardez...!

Intro musicale et entrée des pâtissiers

Les pâtissiers s'approchent de monsieur le maire..., lui retirent son chapeau de maire..., le coiffent du chapeau de pâtissier et l'entraînent avec eux... C'est pour lui qu'ils chantent ce qui suit...

Chanson des pâtissiers

C'est nous les pâtissiers
Toujours à rire et à chanter
Un peu de farine et de l'eau
Et on fait les plus beaux gâteaux

On y met de la crème
Et puis du sucre et des chansons
Du chocolat et des frissons
Et plein de soleil dans la maison [...]

LE MAIRE :

Ah... je le veux, ce talent...

je le veux... vite... merci... merci...! Enfin, je vais pouvoir me faire
des tonnes et des tonnes de gâteaux... et en faire aussi pour tous
mes électeurs! Et avec ça... je vais sûrement être réélu!

Il s'en va... content... en compagnie des pâtissiers...

MADAME LA GRANDE SURPRISE :

Sûrement, monsieur le maire!... Au suivant!

Source : Marie-Thérèse Quinton, *Le grand jour*, p. 2-5. © Centre des auteurs dramatiques, 1997.

1. Placez-vous en équipe de trois ou quatre pour discuter de cet extrait
à partir des questions qu'on vous remettra. Puis, participez à une
discussion en grand groupe.

2. Avez-vous aimé l'extrait de cette pièce? Pourquoi? Écrivez vos réponses
dans votre carnet de lecture en donnant la référence du texte.

Bricolage

Brûler les planches !

THÉÂTRE 6-12 ANS
LES APPRENTIS CLOWNS

Pavillon Roger-Cabana
Municipalité de Saint-Hippolyte
Le vendredi 22 mars à 19 h

Tu joueras bientôt une pièce ou un extrait de pièce. Il ne te reste plus qu'à informer les gens de cet événement. Que dirais-tu de créer une affiche publicitaire pour annoncer ton spectacle? Observe attentivement l'affiche présentée sur cette page. Quel genre de spectacle y est proposé? Quels renseignements y sont indiqués? Comment décrirais-tu l'illustration? Trouve un mot pour qualifier cette affiche.

Document reproductible
15

En équipe de trois, créez maintenant votre propre affiche. Suivez les étapes qu'on vous propose. Utilisez la feuille qu'on vous remettra.

- Faites d'abord la liste des renseignements que vous désirez présenter sur votre affiche (événement annoncé, lieu, date...). Réduisez ces renseignements à l'essentiel sans en oublier d'importants.

- Puis, faites une première esquisse. Inventez un titre et un dessin amusants en rapport avec l'information que vous voulez donner. Prévoyez l'espace nécessaire pour écrire vos renseignements.

- Créez votre affiche. Utilisez un support adapté. Écrivez en script. Variez la grosseur des caractères, du plus gros au plus petit, selon l'importance des renseignements.

- Apposez votre affiche dans un endroit stratégique.

Clés en main

Le pluriel des noms et des adjectifs

1. Place les mots donnés à droite aux endroits appropriés dans chaque phrase. Fais les accords nécessaires.

a) Les Chinois ont inventé le théâtre d'ombres, qui consiste à faire apparaître sur un écran des ■ ou des ■ avec l'ombre projetée des ■ et des ■ de l'artiste.

> animal
> doigt
> personnage
> main

b) En Asie, le montreur d'■ est souvent considéré comme un messager entre les ■ et les ■.

> dieu
> ombre
> vivant

c) À Jakarta, capitale de l'Indonésie, les ■ sont en bois et ont de très longs ■ qu'on peut faire bouger à l'aide de ■ fixées aux ■.

> bras
> marionnette
> poignet
> tige

d) Au Viêtnam, les ■ sont plongés dans l'eau jusqu'au torse, cachés derrière des ■.

> marionnettiste
> rideau

e) Depuis le Moyen Âge, des ■ sont donnés dans différents ■ et même dans la rue.

> lieu
> spectacle

f) À partir des années 1950, la plupart des marionnettistes créent des ■ qui s'adressent aux ■.

> enfant
> personnage

g) Sagement cachée dans les ■ de la ■, la marionnette se déplie soudain et s'anime.

> coffre
> troupe

2. Classe les mots utilisés au numéro 1 selon leur règle de formation du pluriel.

Règle générale: ajout d'un *s*	*-al* et -*ail* ► -*aux*	Ajout d'un *x* aux noms en -*au*, -*eu*, -*eau*	Aucun changement au pluriel (singulier: -*s*, -*x*, -*z*)

3. Écris au pluriel chaque groupe de nom donné. Place ensuite le nom de ce groupe dans une colonne du tableau créé au numéro 2. Consulte ton dictionnaire pour vérifier tes réponses.

a) un gros nez

b) un récital drôle

c) un local original

d) un détail comique

e) un beau rideau

f) un travail génial

g) un prix merveilleux

h) un costume élégant

i) un bouffon fou

j) un nouveau jeu

4. Ajoute à chacune des phrases a) à g) un ou des adjectifs donnés ci-dessous. (Chaque adjectif doit être utilisé une fois.) Utilise les stratégies que tu connais pour faire les accords nécessaires.

> **Adjectifs:** ambulant, amusant, assis, émerveillé, inanimé, musical, pressé, revêtu, triste, varié.

a) Au théâtre, on joue des pièces ■, s'il s'agit de comédies, ou ■, s'il s'agit de tragédies.

b) Les comédiennes, ■ d'un costume, disent leur texte et expriment des émotions avec leur corps et leur visage.

c) Demain, les artistes du cirque feront leurs numéros dans une autre ville: le cirque est un spectacle ■.

d) Un spectacle ■ peut prendre des formes très ■.

e) Les marionnettes sont des poupées ■. On peut en faire bouger certaines en glissant la main à l'intérieur de leur corps.

f) Des passants ■ s'arrêtent pour admirer le spectacle.

g) Les clowns apparaissent sous les regards ■ des spectateurs ■ dans les gradins.

5. Trouve un exemple pour chaque règle présentée dans la rubrique *Je comprends*. Puis, compose une phrase avec chacun des exemples trouvés.

Je comprends	Le pluriel des noms et des adjectifs	
RÈGLES	**EXEMPLES**	**EXCEPTIONS**
Pour former le pluriel d'un nom ou d'un adjectif, on ajoute un *s* au mot singulier.	• des auteurs connus • des sous neufs • des épouvantails terrifiants	Sept noms en *-ou* (*bijou, caillou, chou, genou, hibou, joujou* et *pou*) prennent un *x* au pluriel. Quelques noms en *-ail* (*bail, corail, émail, travail* et *vitrail*) font *-aux* au pluriel.
Les noms et les adjectifs qui se terminent en *-al* au singulier font *-aux* au pluriel.	• des bocaux originaux	Quelques mots en *-al* (*bal, carnaval, festival, récital, régal, fatal, natal* et *naval*) prennent un *s* au pluriel.
Les noms et les adjectifs qui se terminent en *-s, -x* et *-z* ne changent pas au pluriel.	• des gros nez	
Les noms et les adjectifs qui se terminent en *-au, -eau* et *-eu* prennent un *x* au pluriel.	• des bureaux nouveaux	Deux mots en *-eu* (*bleu* et *pneu*) prennent un *s* au pluriel.

Un rallye virtuel

As-tu déjà participé à un rallye? Il s'agit d'une épreuve qui consiste à se déplacer sur un parcours prédéterminé tout en tentant de répondre à un certain nombre de questions. Aujourd'hui, tu participeras à un rallye virtuel: tu tenteras donc de répondre à certaines questions en te déplaçant à l'intérieur de sites web. Bonne chance!

Un jeu d'associations

Avec un coéquipier ou une coéquipière, utilisez l'ordinateur pour construire un jeu d'associations destiné à vos camarades de classe. Rédigez de six à huit questions, charades ou devinettes dont les réponses sont liées au théâtre et se trouvent dans les tableaux intitulés *Mes mots* de cette unité. Par exemple: «Au théâtre, il faut que le souffleur ■ pour ne pas être entendu du public.»

Les métiers du théâtre

Utilise la fonction *Diaporama* de ton logiciel de base pour présenter quelques métiers liés au monde du théâtre: accessoiriste, éclairagiste, marionnettiste... Renseigne-toi pour trouver des éléments intéressants liés au métier choisi. Présente l'information sous divers angles afin de capter l'intérêt de ton public.

Joan Eardley (1921-1963),
Street Kids

Repor... Terre

Qu'est-ce qui est blanc, noir et tout ligné ? Un zèbre ? Non.
C'est un journal et c'est ce que tu auras le plaisir d'explorer dans
cette unité, en plus d'autres médias : la radio, la télévision et Internet.

Tu en apprendras un peu plus sur ce qu'est un journal.
On te donnera de l'information sur les éléments de la une
(la première page d'un journal) et sur les principales rubriques
dans lesquelles sont classées les nouvelles d'un journal.
Comme projet, tu créeras ton propre bulletin de nouvelles,
radiophonique ou télévisé. Tout cela en plus de te documenter
sur des sujets liés à la protection de l'environnement.

« Quand tu rencontres un arbre dans la rue,
Dis-lui bonjour sans attendre qu'il te salue.
C'est distrait, les arbres.
Si c'est un vieux, dis-lui « Monsieur ».
De toute façon, appelle-le par son nom :
Chêne, Bouleau, Sapin, Tilleul...
Il y sera sensible. [...] »

(Jean Rousselot, « On n'est pas n'importe qui », dans
Petits poèmes pour cœurs pas cuits,
© le cherche midi éditeur)

Tu as peut-être déjà consulté des journaux. As-tu remarqué comment l'information est traitée différemment d'un journal à l'autre?
Au cours de cette activité, tu observeras la une de *La Petite Ardoise* dans le but d'apprendre à connaître les différents éléments qui la composent. Tu pourras ensuite te servir de tes nouvelles connaissances pour explorer d'autres journaux.

Le journal et sa une

Comme la radio et la télévision, le journal est un média d'information. Chaque jour, des articles et des reportages sont consacrés à tous les sujets de l'actualité: l'économie, les faits divers, la culture, le sport, etc.

Il y a différents types de journal. S'il paraît tous les jours, c'est un quotidien; s'il paraît toutes les semaines, c'est un hebdomadaire. Un journal national traite de toutes les informations du pays et du monde; un journal régional s'intéresse d'abord aux événements locaux.

Selon l'endroit où on habite, on a accès à plus ou moins de journaux. Au Québec, de nombreux journaux sont disponibles. En fait, des journaux du monde entier sont maintenant accessibles chez nous.

Voyons comment est constitué un journal. Commençons par sa une, c'est-à-dire la première page. Observe celle de *La Petite Ardoise* présentée à la page suivante.

Savais-tu que les trois quotidiens les plus lus au monde sont japonais? Le premier, le **Yomiuri Shimbun**, tire à 14,5 millions d'exemplaires tous les jours!

Le petit dernier de la collection Aube

ÉDITIONS NUIT ET JOUR **8**

LA PETITE ARDOISE **1**

Vol. 45, n° 92 **2** Vendredi 4 février **2** 1 $ **5**
3 **4**

UN VOLCAN FAIT **12** ÉRUPTION EN AFRIQUE !

par Denis Simard **13**

14 MONTRÉAL – Hier soir, les habitants de la ville de Goma en Afrique ont dû évacuer leur ville à la suite de l'éruption du volcan Nyiaragongo.

La ville a tout simplement été coupée en deux ! Des commerces et de nombreuses habitations ont été détruits par la lave. La population de Goma, qu'on évalue à environ 300 000 personnes, s'est enfuie en état de panique.

Le volcan Nyiaragongo est situé sur le continent africain dans la République démocratique du Congo. Selon des spécialistes, le volcan se serait brusquement réveillé et aurait projeté de la poussière, des cendres et de la lave brûlante… jusqu'à 18 km.

Le volcan a finalement cessé son activité, mais les dégâts sont énormes. Dès le retour de la population, il faudra réinstaller les infrastructures et reconstruire la ville.

▶ pages 2 et 3 **7**

9 ### SOMMAIRE

10 ### MÉTÉO

 Aujourd'hui : nuageux et faible neige
max. -4 °C / min. -8 °C

Éléments de la une

1. **Nom** du journal ou logotype. On dit aussi logo.

2. **Jour et date** de publication.

3. **Volume**. Depuis combien de temps le journal existe.

4. **Numéro** de l'année en cours.

5. **Prix** du journal.

6. **Titre en «vitrine»**. Lorsqu'un journal place le titre d'un article (sans le texte) en première page, il désire nous faire connaître un élément de son contenu «du jour». Tout comme les grands magasins exposent certains articles dans leurs vitrines, les journaux annoncent «en vitrine» une partie de leur contenu.

7. **Renvoi**. C'est l'indication de la page où le lecteur ou la lectrice pourra trouver l'article ou la suite de l'article.

8. **Annonce-oreille**. Les «oreilles» de la une, ce sont les emplacements situés à gauche et à droite du logo; une annonce-oreille correspond donc à une annonce occupant un de ces emplacements.

9. **Sommaire**. Le sommaire, c'est en quelque sorte la table des matières d'un journal; il indique de façon précise les pages où on peut trouver les rubriques qui apparaissent régulièrement dans le journal.

10. **Météo en bref**.

11. **Bannière publicitaire**. Ce terme désigne un emplacement en forme de bande horizontale occupant toute la largeur d'une page, mais qui est limité en hauteur.

12. **Manchette**. C'est le titre le plus important de la première page, celui qui occupe le meilleur emplacement, qui est composé des plus gros caractères; la manchette est habituellement placée sous le logo.

13. **Auteur ou auteure** de l'article.

14. **Ville** où a été écrit l'article.

Chaque élève devra apporter un journal en classe.

Placez-vous en équipe de deux. À l'aide d'un journal apporté de la maison, identifiez les éléments de la une. Pour vous aider, utilisez les étiquettes fournies sur la feuille qu'on vous remettra.

Saurais-tu définir les principales rubriques d'un journal?
Observe bien les coupures de journaux présentées ci-dessous.
Place-toi en équipe avec deux élèves pour découvrir à quelle rubrique
chaque coupure peut être associée. Utilise la feuille qu'on te remettra.

Sous quelle rubrique?

PASSER DU GRIS AU VERT

Votre article sur le verdissement des cours d'école m'a beaucoup intéressé.

Comment se fait-il, en effet, que ces espaces soient encore presque entièrement dénués de verdure? Pourtant, on sait à quel point les arbres contribuent à la qualité de l'air dans les villes et à l'embellissement du paysage urbain!

Comme vous le disiez, les arbres permettraient aux élèves de s'abriter du soleil et de se protéger des rayons ultraviolets (UV). De plus, je pense que les cours d'école font partie du territoire sentimental des usagers, c'est-à-dire des enfants fréquentant les écoles. Il est donc très important qu'elles soient aménagées de façon esthétique.

Je lisais hier que la Fondation québécoise de l'arbre vient d'annoncer la mise sur pied d'un programme de verdissement des terrains d'école dans toute la province. Peut-être y en a-t-il qui ont lu votre article? En tout cas, je me réjouis à l'idée que nos enfants ne joueront plus sous le soleil brûlant des mois de mai et juin, dans des cours en asphalte, sans le moindre coin d'ombre pour s'abriter. En plus, ce sera une excellente façon de sensibiliser les jeunes à l'environnement. Bravo!

Alain Guibert,
traducteur

Une rubrique est un ensemble d'articles sur un même sujet figurant régulièrement dans un journal.

Ce matin, les vents du sud-est atteindront 40 km/h et diminueront par la suite pour se stabiliser à environ 10 km/h en fin d'après-midi. Le ciel sera partiellement couvert en début de journée et se dégagera pour laisser place à un soleil radieux en après-midi. La température maximale pour la journée se situera aux environs de 4 °C.

HOMMAGE AU LIVRE

QUÉBEC – En octobre 1995, l'Unesco a proclamé le 23 avril *Journée mondiale du livre*. Rien de surprenant, puisque la défense du droit de tous à accéder à la lecture fait partie des grands objectifs de cet organisme international. « Il y a des livres sur tous les sujets, pour tous les publics et pour tous les moments. Mais nous devons faire en sorte que le livre soit accessible à tous et partout », a déclaré Milagros del Corral, un membre du service de l'édition de l'Unesco.

En Espagne, le 23 avril, on célèbre la fête de saint Georges, patron des Catalans (habitants du nord-est de l'Espagne). D'après la légende, ce noble chevalier aurait libéré une princesse des griffes d'un dragon.

Une fois tranchée, la tête de l'horrible bête aurait laissé échapper une pluie de roses !

Une fois tranchée, la tête de l'horrible bête aurait laissé échapper une pluie de roses ! C'est pour cette raison qu'on souligne la *Journée mondiale du livre* en offrant une rose et un livre à quelqu'un qu'on aime.

LA BOURSE... DE PLUS EN PLUS ACCESSIBLE.

Vente-débarras

Bicyclette de montagne, patins à roues alignées, bottes de ski de fond et autres articles de sport. Le tout en très bon état. Cause de la vente : poussée de croissance ! Venez constater vous-mêmes au 12, av. de la Pente, dimanche, entre 14 h et 16 h.

Le ski..., mais à quel prix?

Sherbrooke (PC) – On serait porté à croire que le ski est un sport bien anodin. C'est qu'on parle peu de l'impact de ces belles pistes enneigées sur la nature. Elles nécessitent en effet la coupe de beaucoup d'arbres. Elles sont souvent taillées à coups de dynamitage dans le roc. Par ailleurs, la fabrication de la neige artificielle est l'une des pires choses pour l'écosystème des montagnes, car la plupart du temps l'eau est puisée à même les cours d'eau. Certains centres utilisent jusqu'à 200 millions de tonnes d'eau par année : assez pour remplir 300 piscines olympiques!

Les gestionnaires des stations de ski sont de plus en plus conscients du problème. Les premières initiatives pour préserver l'eau ont été prises aux États-Unis. On y fabrique des réservoirs artificiels pour y accumuler les surplus d'eau de rivières et de pluie, au printemps et à l'été. Cette eau servira ensuite à la fabrication de la neige artificielle durant l'hiver. Pas très sorcier!

Alors pourquoi tarde-t-on à adopter cette solution ailleurs? C'est que le coût de ces réservoirs peut aller jusqu'à un million et demi de dollars! Par contre, c'est de l'argent bien placé, car la population est devenue très sensible aux questions d'environnement. Ce genre de mesure permet donc non seulement de préserver la beauté naturelle des montagnes, mais aussi d'attirer de plus nombreux clients!

Ça marche à Normandville!

Par Raphaëlla Minelli

Normandville – Plus personne ne marche. On prend sa voiture même pour aller à deux coins de rue de chez soi! Pourtant, marcher ou prendre sa bicyclette pour aller au travail, à l'école ou au dépanneur, ce n'est pas seulement bon pour la santé, mais pour tout ce qui nous entoure.

C'est du moins l'opinion de M. Pierre Lachance, maire de Normandville, qui a décidé d'agir. Avec l'aide de son conseil de ville, il a mis sur pied il y a quelques mois un programme de mise en valeur de l'exercice au service de l'environnement. «Il est temps de changer nos habitudes de vie afin de préserver la vie, a-t-il déclaré. Faire sa part, sentir qu'on a un rôle à jouer, ça fait du bien!»

De nombreuses municipalités entendent maintenant emboîter le pas..., façon de parler! Il faut dire que le programme connaît un véritable succès. Après seulement trois mois, le nombre de marcheurs et de cyclistes matinaux est passé de 1% à 17%!

C'est Samuel Wallingford, un élève de l'école secondaire Yves-Thériault, qui est l'auteur du slogan de ce programme pour la région : *Bouger pour faire bouger.*

La forêt amazonienne, aussi appelée le poumon de la Terre, attire de nombreux touristes de partout dans le monde. Pourquoi ? Pour le savoir, lis les deux textes ci-dessous : un reportage et un court article. Observe la présentation et le contenu de chaque texte. Participe ensuite à une discussion en petits groupes.

La forêt amazonienne

Reportage

Perdus dans la jungle

Mon lieu de travail, c'est la jungle amazonienne. Depuis huit ans, je repère des lieux afin que le gouvernement brésilien puisse ouvrir des réserves naturelles. Ma dernière destination ? Le cœur de la forêt vierge à trois cents kilomètres au nord-est de Manaus. Je suis accompagné de Miguel, mon coéquipier, Éric, un ami photographe, Bassote et Ze, deux guides indiens, et deux Italiens venus en touristes. Nous atteignons notre destination, la jonction des rivières Uatuma et Abacate, après trois jours de navigation. Là, au matin, nous laissons notre bateau, le *Xarrua*, à la garde de Ze et nous voilà partis à travers la jungle touffue, avec un soleil radieux au-dessus de nous. Mais plus la journée s'avance, plus le ciel se charge. Au milieu de l'après-midi, c'est l'orage, violent, tropical. Avec la disparition du soleil, Bassote n'a plus de points de repère pour nous guider. Il est complètement perdu, et nous avec ! Nous sommes trempés et la nuit tombe. Avec de jeunes arbres, des fougères et des feuilles géantes, nous édifions un « tapiri », une hutte indienne. Miguel dit que si le ciel se dégage au matin, nous pourrons retrouver notre chemin. Le lendemain, tout est gris et humide. Nous partons dans ce que nous pensons être la bonne direction. [...] Ce n'est qu'en début d'après-midi que nous émergeons de la jungle sur une berge de rivière.

Christopher Clark

Explorateur, Christopher Clark participe, en étroite collaboration avec le gouvernement brésilien, à des programmes de préservation de la forêt amazonienne. Porté disparu avec toute son équipe alors qu'il effectuait une mission de repérage, il a raconté ce qui fut la plus grande frayeur de sa palpitante vie d'aventurier.

Mais est-ce bien la rivière par laquelle nous sommes arrivés ? Et si c'est elle, où se trouve notre bateau, le *Xarrua* ? En amont ou en aval ? Bien que fatigués et affamés, nous n'avons qu'une envie : sortir de cette forêt glauque. [...]

Bassote, découragé, allongé sur le sol grommelle :

– Nous allons tous mourir de faim !

Miguel suggère alors l'idée de construire un radeau et de se laisser dériver sur la rivière :

– Nous finirons bien par trouver des habitations...

Armé de notre seule machette, un des Italiens plonge ; les arbres qui pourront flotter sont ceux qui poussent dans l'eau. Alors que Stefano vient de couper le quatrième arbre, de taille moyenne, la machette lui échappe des mains et s'enfonce dans la rivière. Catastrophe ! Nous nageons désespérément à sa recherche. Peine perdue. Nous ne pouvons plus couper d'arbres et quatre troncs ne sont pas suffisants pour nous tous ! Nous allons être obligés de nous séparer. Le problème : deux personnes seulement pourront partir. [...] Allongés sur le fragile assemblage de troncs, nous avons beaucoup de mal à ne pas penser à toutes les mauvaises créatures qui vivent dans cette eau : les caïmans, les piranhas, les serpents et le prédateur géant, le poisson-chat ! De temps en temps, nous

Piranha est un mot **tupi** signifiant « sécateur ». On a donné ce nom à ce poisson à cause de sa terrible dentition.

crions pour signaler notre présence. [...] Soudain, nous entendons un cri dans le lointain. Nous hurlons à notre tour, à nous casser la voix ! Un canot apparaît à un virage de la rivière. C'est Ze ! Le guide qui garde notre bateau. Effrayé par notre absence, voilà un long moment qu'il est à notre recherche. Nous soupirons : nous sommes sauvés ! Nous continuons à crier... mais c'est de joie, maintenant !

Le caïman est un prédateur redoutable. Immobile, il attend qu'une proie s'approche du rivage pour l'attraper.

Source : Christopher Clark, dans *Je bouquine*, n° 102, Bayard Presse Jeune. © Christopher Clark.

Forêt en péril

La forêt amazonienne du Brésil pourrait avoir complètement disparu d'ici 50 ans!

Et c'est loin d'être une bonne nouvelle! Une forêt comme l'Amazonie, c'est drôlement précieux, avec toutes les espèces d'animaux et de végétaux qu'elle abrite. Il ne faut pas chercher midi à quatorze heures: ce vaste espace vert est menacé parce qu'on y coupe trop d'arbres. Si ça continue ainsi, un cercle vicieux ne tardera pas à se manifester, croit un mathématicien américain.

D'où vient le nom du fleuve Amazone, dont découle le nom Amazonie? C'est par méprise qu'un explorateur, perdu sur le fleuve Amazone, le fit connaître en Europe comme étant celui des amazones: il croyait y avoir combattu des femmes guerrières (amazones), alors que c'était plutôt des Amérindiens aux cheveux longs!

Forêt saine

Forêt menacée

Point de départ: la pluie, que les arbres boivent avec leurs racines et captent avec leurs feuilles. Moins il y a d'arbres, moins l'eau de pluie est retenue. La forêt devient donc globalement plus sèche... et il finit par pleuvoir moins, puisque les nuages et la pluie se forment grâce à l'eau qui s'évapore de la forêt vers le ciel.

À long terme, ce petit manège menace sérieusement la forêt amazonienne. Dès que 20% des arbres auront disparu (c'est-à-dire très bientôt), le cercle vicieux s'enclenchera. D'ici 10 à 15 ans, la sécheresse deviendra irréversible. Ça, ça veut dire qu'il n'y aura plus rien à faire.

Bon, tous les chercheurs ne partagent pas ce point de vue ultra pessimiste. Mais tous s'entendent pour dire qu'il faut faire attention à ce petit coin de paradis déjà pas mal amoché.

Source : Marie-Pier Elie, *CyberSciences-Junior 2000-2001*. Texte seulement.

1. Placez-vous en équipe de trois pour répondre aux questions. Nommez d'abord un animateur ou une animatrice qui dirigera la discussion, un ou une secrétaire qui notera vos réponses et un ou une porte-parole qui les présentera en grand groupe.

   a) Quel est le sens des mots en couleur dans le premier texte ? Trouvez des indices dans le texte ou dans le mot lui-même. Vérifiez ensuite vos réponses en consultant un dictionnaire.

   b) Lequel des deux textes avez-vous préféré ? Pourquoi ?

   c) Lequel des deux textes explique le mieux la disparition de la forêt amazonienne ? Expliquez votre réponse. Donnez des exemples en vous servant de phrases du texte.

   d) Lequel des deux textes décrit le mieux l'Amazonie ? Relevez des passages qui vous permettent de visualiser cette jungle.

   e) Qu'entend-on par *cercle vicieux* dans le texte « Forêt en péril » ?

   f) Qui ? Quoi ? Quand ? Où ? Pourquoi ? : cinq questions qui guident les journalistes dans la rédaction de leurs articles. Relisez chaque texte pour y chercher les réponses à ces questions. Remplissez ensuite la fiche qu'on vous remettra.

2. Dans le texte « Forêt en péril », l'auteure utilise plusieurs mots différents pour désigner la forêt. Individuellement, trouve ces mots substituts. Utilise le texte qu'on te remettra pour faire ce travail.

3. Dans ton carnet de lecture, écris le titre du texte que tu as préféré en justifiant ton choix. Présente ce que tu as écrit aux autres élèves.

Clés en main

Document reproductible 5

Mes mots

l'adresse
l'alarme
l'angle
l'annonce
annoncer
l'annuaire
l'avenue
l'avis
ce bandit
cette cause
un centre
    commercial

construire
contenir
un danger
dangereux
    dangereuse
dedans
dehors
démolir
la démolition
le désordre
détruire
une fin de semaine

l'incendie
ton message
la prison
ce prisonnier
    cette prisonnière
votre prix
quelques-uns
    quelques-unes

quelqu'un
ma question
rapporter
notre recherche
son reportage
un service
le site
une station

Mes verbes conjugués

ALLER			FAIRE		
IMPARFAIT			**IMPARFAIT**		
Personne	Radical	Terminaison	Personne	Radical	Terminaison
j'	all	**ais**	je	fais	**ais**
tu	all	**ais**	tu	fais	**ais**
il/elle	all	**ait**	il/elle	fais	**ait**
nous	all	**ions**	nous	fais	**ions**
vous	all	**iez**	vous	fais	**iez**
ils/elles	all	**aient**	ils/elles	fais	**aient**

1. a) Place le déterminant *un* ou *une* devant chacun des noms suivants : *adresse, alarme, angle, annonce, annuaire, avenue, avis, incendie.* Vérifie tes réponses dans ton dictionnaire.

b) Forme des groupes du nom en ajoutant un adjectif et un déterminant à chacun des noms donnés en a). Fais les accords nécessaires.

2. Compose deux phrases avec le mot *annonce.* Dans la première, ce mot doit être un nom. Dans la seconde, il doit être un verbe. Vérifie tes phrases en plaçant un déterminant devant le nom *annonce* et en encadrant le verbe *annonce* par *n'... pas.*

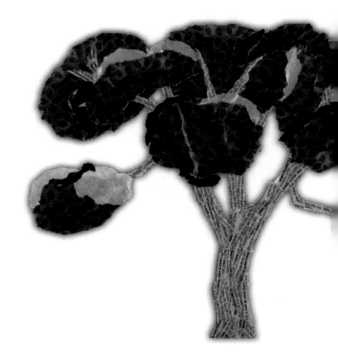

3. Observe attentivement l'orthographe des mots de chaque série et trouve une caractéristique commune à ces mots.

Série de mots	Caractéristique commune
a) démolition, question, station	Ils se terminent par *tion*.
b) annonce, annuaire, prisonnier	
c) avis, dedans, dehors	
d) cause, désordre, prison	
e) avenue, incendie, reportage	
f) angle, bandit, danger	

4. Dans ton tableau *Mes mots*, cherche un synonyme du mot en gras de chaque phrase.

a) Il ne faut pas grimper aux arbres, c'est beaucoup trop **risqué**.

b) Le journaliste vient de **publier** une nouvelle qui va faire couler beaucoup d'encre.

c) Le **coût** de ce journal est peu élevé.

d) Les journalistes doivent toujours **relater** les circonstances d'un accident avec exactitude.

e) En écoutant la radio, j'ai appris qu'on allait **bâtir** un centre commercial dans notre région.

5. Complète chacune des phrases données en ajoutant le verbe *aller* ou *faire* à l'imparfait.

a) Pendant que quelques élèves ■ une recherche à la bibliothèque, les autres naviguaient sur Internet.

b) J'■ porter un message quand quelqu'un m'a remis cet avis.

c) Il ■ un temps splendide la fin de semaine dernière.

d) Vous ■ répondre lorsque le camelot a sonné à la porte.

e) Lorsqu'ils étaient à Montréal, ils ■ très attention en traversant la rue.

Projet

Dernières nouvelles

Quels sont les sujets brûlants de l'actualité ? Quels événements font les manchettes des journaux ? Bref, quelles sont les nouvelles de l'heure ? C'est à toi de nous les faire connaître en préparant un bulletin de nouvelles, radiophonique ou télévisé, pour les élèves de ta classe.

Suis les étapes suivantes pour réaliser ton projet.

Exploration

Pour bien te préparer, tu dois écouter au moins un bulletin de nouvelles. Avec les élèves de ta classe, dressez d'abord une liste de quelques bulletins présentés à la télévision.

Placez-vous ensuite en équipe de deux ou trois élèves. Choisissez le bulletin de nouvelles que vous regarderez. Au moment de l'écoute, observez attentivement ce qu'on y présente et comment se fait la présentation. Utilisez la feuille qu'on vous remettra pour noter individuellement vos observations. Vous pouvez aussi enregistrer le bulletin afin de l'écouter plusieurs fois, ce qui facilitera la prise de notes. Mettez vos observations en commun.

Planification

Servez-vous ensuite des différentes rubriques d'un journal (voir l'activité aux pages 59 à 61) pour organiser votre travail d'équipe. Quels sont les sujets qui vous intéressent ? Qu'est-ce que chaque membre de l'équipe pourrait présenter (fait divers, événement culturel, événement sportif, météo…) ? Distribuez-vous le travail.

Réalisation

Individuellement, préparez votre partie du travail.

Si vous avez choisi de vous inspirer d'un article de journal pour écrire votre nouvelle, lisez-le attentivement. Soulignez les renseignements importants que vous voulez conserver. Inscrivez ces renseignements sur la fiche qu'on vous remettra.

Si vous préférez présenter la météo, recueillez vos renseignements à partir d'un journal ou d'un bulletin de nouvelles. Utilisez la carte du Québec qu'on vous remettra. Construisez une légende. Consignez les renseignements qui vous aideront à présenter votre bulletin.

Lorsque chaque membre de l'équipe aura bien préparé sa partie, exercez-vous comme si vous étiez à la radio ou à la télévision. Dans quel ordre présenterez-vous les différentes parties de votre bulletin de nouvelles?

Faites votre premier essai : enregistrez votre émission ou filmez-la. Écoutez votre cassette ou regardez la bande vidéo afin d'observer les éléments que vous devrez améliorer pour votre production finale. Consultez votre enseignant ou enseignante pour vous aider à évaluer votre travail.

Enregistrez ou filmez votre production finale.

Communication

Présentez votre bulletin de nouvelles : faites entendre votre cassette ou présentez votre film aux autres élèves de la classe. Puis, écoutez leurs commentaires.

À votre tour, écoutez attentivement le bulletin de nouvelles des autres équipes. Sur la feuille qu'on vous remettra, évaluez la communication de vos pairs.

Présentez vos observations en grand groupe.

Évaluation

Sur la feuille qu'on vous remettra, notez ce que vous avez le mieux réussi, ce que vous avez le moins bien réussi et ce que vous aimeriez améliorer une prochaine fois. Inspirez-vous des commentaires émis par vos camarades de classe à l'étape *Communication*.

Placez cette feuille dans votre portfolio.

Combien de temps faut-il à une forêt que l'on a coupée pour qu'elle redevienne comme avant ? Peut-on compter uniquement sur la nature pour que la forêt se renouvelle ? Sinon, que peut-on faire ? Prends quelques minutes pour réfléchir à ces questions. Puis, partage tes idées en grand groupe. Lis ensuite les deux textes suivants.

Aidons la nature

Experte en forêt

Environ la moitié du territoire canadien [...] est couvert de forêts. Les arbres sont une ressource renouvelable : on peut les couper, ou ils peuvent éventuellement brûler, et d'autres arbres pousseront pour les remplacer. Dans ces conditions, pourquoi s'inquiéter ? Pour la simple raison que la nature est très lente. Il faut au moins 60 ans et souvent même 100 ans pour qu'une forêt que l'on a coupée redevienne comme elle était auparavant. [...]

C'est pour cette raison que, au lieu de compter uniquement sur la nature, les forestiers ont appris à « cultiver » les forêts. Si tu veux savoir comment ils s'y prennent, lis ce qui suit. Nous avons posé des questions à Francine, une travailleuse forestière employée par une compagnie papetière qui possède une exploitation forestière immense en Colombie-Britannique.

Q : Francine, comment déterminez-vous quels arbres de la forêt vous allez couper ?

R : Disons que nous devons faire preuve de beaucoup de *jugeote*. Équipés de caméras très sophistiquées, nous survolons la forêt afin de calculer le nombre d'arbres existant. Nous faisons ensuite des probabilités, c'est-à-dire que nous calculons à quelle vitesse ils vont pousser et combien d'entre eux risquent de mourir victimes des insectes ou des incendies. Je dessine ensuite une carte qui montre précisément où couper et quand. […]

Q : Replantez-vous des arbres de la même espèce que ceux que vous avez coupés ?

R : Parfois, oui. Les forêts naturelles sont peuplées d'arbres de plusieurs espèces (en termes forestiers, on parle d'*essences*). Comme nous ne voulons, pour la fabrication du papier, que des arbres à bois tendre, nous faisons pousser des forêts peuplées d'une ou de deux espèces de « superarbres ».

Q : D'où viennent les « superarbres » dont vous vous servez ?

R : De la forêt. Durant l'été, nous marquons les arbres destinés à la pâte à papier, les plus grands, les plus en santé et ceux qui poussent le plus vite. Pendant l'hiver, avec un fusil, nous coupons le bout de leurs branches et nous greffons ces bouts de branches (appelés justement des greffons) sur les plants d'un bon arbre. C'est un peu comme si nous fabriquions des « superarbres » à partir de petits bouts qui poussent déjà. […]

Q : Comment plantez-vous les arbres ?

R : Nous procédons comme des agriculteurs. Avant de planter, nous devons préparer le terrain. Nous remuons la couche d'aiguilles de pin, de feuilles et d'autres débris de la nature avec des outils munis de chaînes et de lames dentelées. Nous revigorons ensuite la terre en lui donnant de l'engrais ou des éléments nutritifs. Il arrive même que nous pratiquions le brûlage, c'est-à-dire que nous mettons le feu aux rémanents (branches et feuilles restées sur le sol), pour nettoyer le terrain. La plantation elle-même est le travail le plus facile ; nous n'avons même pas besoin de nous baisser. Les jeunes plants arrivent dans des petits récipients de polystyrène. Nous faisons un trou dans la terre à l'aide d'un outil appelé un plantoir, et nous déposons le plant dans le trou.

Q : Combien en plantez-vous ?

R : 1200 plants à l'hectare ; cela peut paraître beaucoup, mais un grand nombre d'entre eux peuvent ne pas pousser. Certains sont plantés incorrectement, d'autres mangés par les cerfs, endommagés par le gel, brûlés par la sécheresse, étouffés par d'autres arbres ou détruits par les insectes. Il n'y a qu'environ 800 de ces semis qui vont survivre.

Q : Dans combien de temps ces nouveaux arbres seront-ils prêts à être coupés ?

R : Suivant l'espèce d'arbre et les conditions de croissance, cela peut prendre de 50 à 120 ans.

Source : Paulette Bourgeois, *La magie du papier*, p. 51-54. Ill. originales : L. Hendry. Reproduit avec la permission de Kids Can Press Ltd., Toronto, et les éditions Héritage. © 1989, Paulette Bourgeois. Traduction : Les éditions Héritage, 1990.

Feuillus en voie de disparition

La forêt boréale évolue : on y trouve de plus en plus d'épinettes… et de moins en moins de feuillus.

Il y a 40 ans, beaucoup d'arbres à feuilles poussaient dans la forêt boréale. Mais un chercheur d'ici a remarqué qu'il y en a de moins en moins.

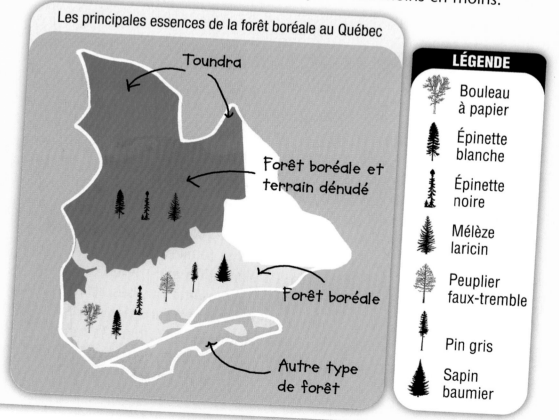

Les principales essences de la forêt boréale au Québec

Toundra

Forêt boréale et terrain dénudé

Forêt boréale

Autre type de forêt

LÉGENDE

Bouleau à papier

Épinette blanche

Épinette noire

Mélèze laricin

Peuplier faux-tremble

Pin gris

Sapin baumier

Dans certaines zones où on retrouvait auparavant seulement des feuillus, il n'y a maintenant que des conifères. La vraie championne de cette bataille entre les épines et les feuilles, c'est l'épinette, plus particulièrement l'épinette noire, qui prend même la place de ses cousins comme le sapin et le pin gris. Chez les arbres, c'est un peu comme chez les animaux : tous veulent avoir le plus grand territoire possible… et la loi du plus fort règne !

Selon le chercheur qui a réalisé cette étude, il y aura toujours de plus en plus d'épinettes noires, et de moins en moins de feuillus dans la forêt boréale. Mais qu'est-ce qui avantage l'épinette noire à ce point ? Il semble que ce soit en raison de l'intervalle très long entre les feux de forêt (100 ans, en moyenne). Contrairement à ses concurrents, l'épinette noire pousse très lentement. Après un feu, elle a un peu de mal puisque les autres poussent très vite et prennent toute la place, mais ils meurent aussi très vite comparativement à elle. Quand la première génération d'arbres qui ont repoussé après la catastrophe meurt, l'épinette noire peut donc élargir son territoire et empêcher les nouvelles pousses de grandir. Elle continue de croître comme ça, lentement, mais sûrement, jusqu'au prochain feu…

Source : Marie-Pier Elie, *CyberSciences-Junior 2000-2001*. Texte seulement.

1. Trouve dans les textes lus les réponses aux trois questions posées au début de la page 70.

En grand groupe, comparez ces réponses à celles suggérées avant la lecture des textes.

2. Placez-vous ensuite en équipe de deux. Imaginez que vous êtes les journalistes qui ont fait l'entrevue avec Francine, la travailleuse forestière. À partir des réponses qu'elle a données, vous devez écrire un compte rendu pour expliquer à des élèves de votre âge comment les travailleurs forestiers et travailleuses forestières s'y prennent pour reboiser la forêt.

Pour vous aider, suivez la démarche proposée sur la feuille qu'on vous remettra.

3. Individuellement, laissez des traces de cette lecture dans votre carnet.

Clés en main

Les pronoms sujets

1. Placez-vous en équipe de deux. Lisez la lettre suivante, adressée au rédacteur en chef d'un hebdomadaire local.

> Roberval, le 22 avril
>
> Monsieur,
>
> Notre classe de l'école Judith-Jasmin a l'intention de publier un journal scolaire.
>
> Nous aimerions vous rencontrer à l'école ou à vos bureaux afin de vous poser des questions sur les étapes de la réalisation d'un journal ainsi que sur les qualités requises pour mener notre projet à terme.
>
> Nous vous remercions de l'attention que vous apporterez à notre demande et nous vous prions d'agréer, Monsieur, l'expression de nos sentiments distingués.
>
> Les élèves de la classe de Marili

a) Repérez tous les pronoms dans la lettre.

b) Parmi ces pronoms, lesquels sont des pronoms sujets ? Pour vous aider à trouver la réponse, essayez d'encadrer chaque pronom par *c'est… qui*.

Ex. : **Nous** aimerions **vous** parler.

▶ *C'est* **nous** *qui* aimerions vous parler.

On peut encadrer le pronom, donc *nous* est un pronom sujet.

▶ *Nous aimerions *c'est* **vous** *qui* parler.

On ne peut pas encadrer le pronom, donc *vous* n'est pas un pronom sujet.

c) De quel verbe chacun des pronoms trouvés en b) est-il sujet ? Donnez le verbe et le pronom sujet.

d) Parmi les pronoms trouvés en a), lequel n'est pas toujours sujet dans la lettre ?

e) Selon vous, y a-t-il d'autres pronoms qui peuvent être sujets, mais pas toujours ? Lesquels ? Émettez vos hypothèses.

2. Dans les phrases suivantes, repérez tous les pronoms.

a) Depuis que mon frère vit en France, il nous donne souvent des nouvelles de ce pays.

b) Tu peux rapporter l'information trouvée en écrivant un article très court et facile à lire. On appelle cela une brève.

c) On classe les journaux en fonction de leur fréquence de parution : un quotidien est publié tous les jours ; un hebdomadaire, toutes les semaines ; un mensuel, une fois par mois.

d) Je suis allé rencontrer la rédactrice du journal de notre localité. Sans elle, je n'aurais pas appris qu'on organisait un concours pour les jeunes journalistes.

e) Le 12 juin 1942, Anne Frank reçoit un gros cahier à fermoir pour son anniversaire. Elle en fera son journal intime.

f) Pendant plusieurs jours, nous avons travaillé à la rédaction d'un article sur les fleurs annuelles. Cela nous a permis de nous informer sur ce sujet.

g) Des milliers de journaux paraissent chaque jour. Ils traitent de sujets divers.

h) J'ai écouté les nouvelles télévisées. Elles étaient présentées par deux jeunes journalistes. Plus tard, je rêve d'exercer le même métier qu'elles.

3. Classez les pronoms trouvés au numéro 2 dans un tableau comme celui-ci :

Pronoms sujets	Pronoms qui ne sont pas sujets
il (donne)	nous

Je comprends | **Les pronoms sujets**

Les pronoms *je, tu, il, ils* ou *on* sont toujours sujets.

Les pronoms *cela, ça, elle, elles, nous* et *vous* peuvent être sujets, mais pas toujours. Pour savoir si ces pronoms sont sujets, on les encadre par *c'est… qui.*

Ex. : La radio est une invention récente. **Elle** est présente partout.
► *C'est* **elle** *qui* est présente partout.

Fera-t-il beau demain ? Pleuvra-t-il ce soir ? Quel temps fera-t-il après-demain ? Voilà des questions que l'on se pose souvent pour planifier ses activités. Sais-tu comment lire une carte météorologique ? Observe celle qui est présentée ci-dessous et réponds ensuite aux questions posées sur la feuille qu'on te remettra.

Beau temps, mauvais temps !

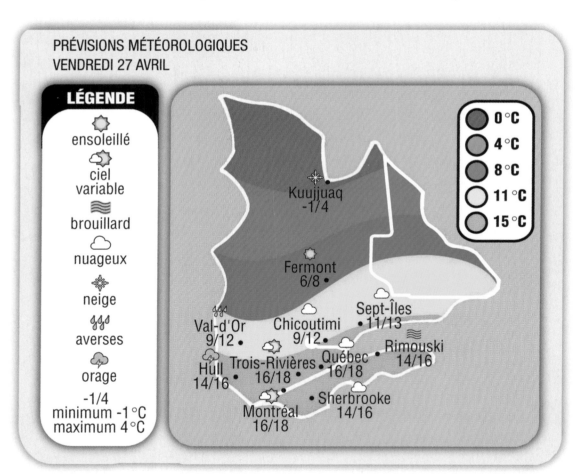

PRÉVISIONS MÉTÉOROLOGIQUES
VENDREDI 27 AVRIL

LÉGENDE

ensoleillé

ciel variable

brouillard

nuageux

neige

averses

orage

-1/4
minimum -1 °C
maximum 4 °C

0 °C
4 °C
8 °C
11 °C
15 °C

Kuujjuaq
-1/4

Fermont
6/8

Sept-Îles
11/13

Val-d'Or
9/12

Chicoutimi
9/12

Rimouski
14/16

Hull
14/16

Trois-Rivières
16/18

Québec
16/18

Montréal
16/18

Sherbrooke
14/16

Réponds aux questions posées sur la feuille remise pour vérifier si tu sais bien lire une carte météorologique. Puis, en suivant la démarche proposée, rédige un bulletin météorologique que tu conserveras dans ton portfolio.

À vos plumes

Et si c'était vrai...

Que dirais-tu d'exercer tes talents de journaliste en rédigeant un article basé sur un événement réel ou fictif? À toi de choisir. Si tu optes pour la première suggestion, ton article peut se rapporter à un événement sportif ou culturel, à une activité scolaire ou parascolaire, etc. Cet événement peut s'être produit dans ta classe, à l'école, dans ton quartier... Fais ta petite enquête. Choisis l'événement qui saura intéresser tes lecteurs et lectrices.

Si tu ne sais pas quel événement choisir, inventes-en un de toutes pièces, mais... fais preuve de discrétion! Le jour de la présentation, les autres élèves devront deviner si ton article est basé sur un événement réel ou fictif.

Suis la démarche suivante pour rédiger ton article.

Je planifie

Pense à un événement à partir duquel tu pourrais rédiger ton article. Fouille dans ta mémoire. Rappelle-toi ce qui s'est passé récemment et ce dont tu as été témoin.

Puis, fais ton enquête pour trouver les réponses aux cinq questions que doit contenir un article (Qui? Quoi? Quand? Où? Pourquoi?). Remplis ton organisateur avec les renseignements recueillis. Si l'événement est inventé, fais semblant d'enquêter pour ne pas éveiller les soupçons. Remplis ton organisateur en inscrivant des réponses plausibles aux cinq questions.

Je rédige

Compose ton article à partir des renseignements consignés dans ton organisateur. Ajoute des détails pour enrichir chaque aspect de tes descriptions.

Imagine l'ordre logique dans lequel les événements se sont déroulés.

Utilise des mots précis qui décrivent bien ce qui s'est passé.

Je révise et je corrige

Relis ton article. L'événement est-il raconté selon l'ordre logique ?
Les renseignements sont-ils présentés de façon précise et claire ?
L'événement est-il bien décrit et suffisamment détaillé ? Les phrases ont-elles du sens ?

Vérifie ensuite l'orthographe des mots en consultant tes banques de mots et ton dictionnaire. Vérifie aussi tes accords (groupes du nom et verbes) en utilisant les démarches apprises.

Je mets au propre

Trouve un titre accrocheur à ton article. Le choix d'un bon titre est extrêmement important si tu veux capter l'intérêt de tes lecteurs et lectrices.

Mets ton texte au propre. Relis attentivement la version finale. Crois-tu que ton article intéressera tes camarades ?

Je présente et je m'évalue

Lis ton article devant la classe. Prononce bien chaque mot. Porte une attention particulière à la ponctuation pendant que tu lis. Mets de l'expression.

À la fin de ta lecture, demande aux autres élèves s'ils croient que ton article est basé sur un événement réel ou fictif. Fais-les voter en leur demandant de lever la main.

Évalue par la suite ta performance de journaliste. Si tu as choisi de présenter un événement réel, as-tu bien documenté ton article ? Si tu as inventé un événement, as-tu réussi à déjouer tes camarades ? As-tu su faire preuve de discrétion pour ne pas éveiller de soupçons ?

 Place ton texte dans ton portfolio.

La culture, c'est comme les confitures...

Allô Félix!

Savais-tu que nos parents font aussi des devoirs? Eh bien, moi, je viens tout juste de le découvrir...

Tout le monde était un peu à la course ce matin. Maman venait de fermer la porte d'entrée quand elle s'est écriée: «Zut! J'ai oublié le journal!» Elle est retournée dans la maison pour le chercher et nous a rejoints, ton père et moi, dans l'auto.

Je lui ai alors dit que je ne comprenais pas ce qu'il y avait de si grave à oublier le journal: elle travaillait aujourd'hui, elle aurait sûrement quelque chose à faire! Elle m'a répondu: «Sarah, je ne lis pas le journal parce que je n'ai rien à faire; je le lis pour me tenir informée. C'est important. Il faut savoir ce qui se passe dans le monde.» De plus, ton père a ajouté: «Je crois même que c'est un devoir...»

Il semble bien que si on les trouve, chaque samedi matin, le nez plongé dans leur journal, ce n'est pas parce qu'ils ne sont pas occupés comme nous, les enfants. C'est plutôt parce qu'ils font leurs devoirs. En plus, ils semblent aimer cela! Les parents sont bizarres!

On s'en parle vendredi.

Sarah

HEBDO CULTURE

Volume 4, numéro 6

25 ¢

À lire à la page 12 :

Tout sur la vie et la disparition tragique d'un des plus grands reporters de l'histoire : Albert Londres.

Aussi :

Le dernier reportage de Joseph Kessel, journaliste et auteur du livre *Le Lion*.

À ne pas manquer à la page 18 :

Les commentaires de Sonia Sarfati. La célèbre auteure québécoise nous parle du 23 avril, *Journée mondiale du livre*.

SCIENCE ET TECHNOLOGIE

Le premier livre électronique en français mesure 21 cm et pèse 1 kg.

Pour en savoir plus, voir à la page 24.

DOSSIER-CHOC

Qui a inventé les devoirs pour adultes ?

Les premières traces d'écriture dans le monde n'avaient pas pour but de raconter des histoires, mais plutôt de transmettre de l'information. Est alors né le métier de journaliste…

Trois mille ans avant Jésus-Christ, les scribes écrivaient sur du papyrus pour faire part au peuple des décisions et des demandes des pharaons.

Les nouvelles courent vite !

La première vraie nouvelle, on la doit à un jeune Grec. En 490 avant Jésus-Christ, ce jeune homme, qui était parti de Marathon pour se rendre à Athènes dans le but d'annoncer la victoire de l'armée sur les troupes des envahisseurs, meurt d'épuisement après avoir couru quarante kilomètres.

As-tu remarqué comment certains mots peuvent se transformer avec le temps ? Un coureur vient de Marathon et, plus tard, on aura le terme **marathonien** pour désigner une personne qui fait de la course sur une longue distance.

La main : toute une machine à écrire !

Les Romains ont à leur tour publié un journal, l'*acta diurna* (qui signifie *actes du jour* en latin), dans lequel on trouvait des faits divers, des événements sensationnels, des annonces de mariages, des avis de naissances ou de décès, des nouvelles militaires, des chroniques théâtrales et sportives.

Ce journal, que rédigeaient à la main 300 esclaves scribes, paraissait à 10 000 exemplaires chaque semaine !

Il faut ensuite se transporter en Chine pour assister à l'évolution de l'écriture et du journal. On pense que les Chinois ont connu le papier dès le premier siècle.

L'empereur chinois Hsuan-tsung crée à Pékin le *K'ai-yuan tsa-pao* (ce qui signifie *moniteur de l'État* en chinois). C'est un mensuel imprimé à l'aide de planches de bois gravées à la main. Cette publication ne cessera pas de paraître pendant les douze siècles suivants. Elle deviendra hebdomadaire en 1361 et quotidienne en 1830 !

En Europe, les troubadours composent des ballades et racontent des histoires.

Ainsi deviennent-ils les chroniqueurs du Moyen Âge, allant de château en château chanter leur poésie et leurs histoires d'amour, mais aussi les grands et petits événements.

Un peu plus tard, ce sont les commerçants qui informeront leurs clients des principaux événements politiques et économiques, par des feuilles manuscrites.

Puis vint l'imprimerie...

À Mayence, vers 1440, l'Allemand Gutenberg écrit pour le pape Nicolas V une lettre composée en caractères d'imprimerie. Cette invention facilitera beaucoup le travail de tous ceux qui écrivent ! On pourra enfin transmettre toutes sortes de renseignements. À partir de ce moment, le monde de l'écrit évoluera très vite.

Et Renaudot...

En 1631, un Parisien nommé Théophraste Renaudot fonde la *Gazette de France*. C'est l'acte de naissance du journal moderne. Renaudot inventera l'éditorial, la publicité, le numéro « spécial », les suppléments. Son but était de piquer la curiosité des lecteurs et lectrices.

Et ça fonctionnera ! Il atteindra le tirage de 1200 exemplaires en 1638.

Le premier quotidien du monde, *The Daily Courant*, paraîtra à Londres en 1702. Quelques années plus tard, en 1714, un Anglais du nom de Henry Mill inventera la première « machine » à écrire.

L'année suivante paraîtra le premier roman-feuilleton : *Robinson Crusoé* de Daniel Defoe. Les histoires racontées capteront l'intérêt des lecteurs et lectrices ; ceux-ci voudront lire la suite et... achèteront le journal.

> C'est Charlemagne qui a inventé l'école et c'est à cause de lui que nous avons des devoirs ; mais c'est Renaudot qui a inventé les journaux qui donnent des devoirs aux parents !

Clés en main

Mes mots

l'allée	ce feuillage	une piqûre	une source
allonger	un gazon	pleuvoir	la température
un arbuste	du grain	la racine	une tempête
l'arc-en-ciel	une graine	sec	du verglas
l'aube	humide	sèche	un volcan
l'averse	la mesure		
ce bouleau	mesurer		
le brouillard	un mont		
casser	cette mousse		
un cèdre	votre pelouse		
le chêne	un peuplier		
le climat	piquant		
l'écorce	piquante		
l'érable	piquer		

Mes verbes conjugués

ALLER			FAIRE		
FUTUR SIMPLE			**FUTUR SIMPLE**		
Personne	Radical	Terminaison	Personne	Radical	Terminaison
j'	i	**rai**	je	fe	**rai**
tu	i	**ras**	tu	fe	**ras**
il/elle	i	**ra**	il/elle	fe	**ra**
nous	i	**rons**	nous	fe	**rons**
vous	i	**rez**	vous	fe	**rez**
ils/elles	i	**ront**	ils/elles	fe	**ront**

Consulte le tableau *Mes mots* pour effectuer les tâches des numéros 1 à 4.

1. a) Donne le mot que tu trouves le plus difficile à écrire. Explique pourquoi.

b) Indique la stratégie que tu utiliseras pour mémoriser ce mot.

2. Cherche l'anagramme de chacun des mots suivants : *ces, regain, semeur, course.*

3. Repère les six noms précédés du déterminant *l'.* Consulte ton dictionnaire pour connaître le genre de ces noms. Puis, compose une phrase avec chaque nom. N'oublie pas tes accords.

4. Ajoute un mot à chacune des séries suivantes.

a) chameau, drapeau, rideau, ■

b) mission, poison, wagon, ■

c) bas, pas, repas, ■

d) arrivée, pensée, vallée, ■

Je te rappelle qu'une anagramme c'est un mot que l'on obtient en changeant l'ordre des lettres d'un autre mot.

5. Relève une ressemblance orthographique dans chaque série de mots.

a) allonger, brouillard, mousse   c) camper, température, tempête

b) mesure, mesurer, pelouse   d) chêne, piqûre, tempête

6. Trouve le verbe conjugué dans chaque phrase. Donne ensuite l'infinitif de ce verbe. Consulte tes tableaux de conjugaison pour t'aider.

a) Demain, il pleuvra partout au Québec.

b) Nous irons à notre rendez-vous malgré la tempête.

c) Lors de la tempête, de nombreuses branches ont cassé.

d) Combien mesurera ce chêne dans cinquante ans?

e) Que ferez-vous la semaine prochaine?

7. Sur la feuille remise, associe chaque mot à un chiffre de l'illustration.

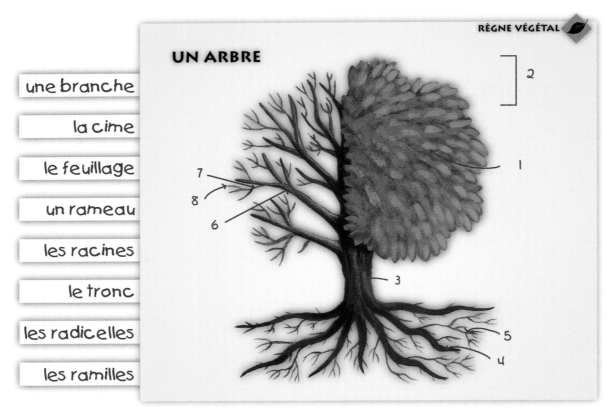

une branche

la cime

le feuillage

un rameau

les racines

le tronc

les radicelles

les ramilles

RÈGNE VÉGÉTAL

UN ARBRE

8. En équipe de deux, choisissez une planche thématique sur les arbres, les fleurs ou les plantes dans un dictionnaire. Repérez trois mots nouveaux. Cherchez leur définition et composez de courtes devinettes à partir de chacun de ces mots. Échangez vos devinettes avec celles d'une autre équipe.

Je lis, tu lis, nous lisons...

Amuse-toi à survoler les articles présentés ci-dessous qui ont été écrits il y a de nombreuses années. Choisis ensuite celui ou ceux qui t'intéressent davantage et fais-en une première lecture. Observe les différences importantes entre les événements décrits et ceux de l'actualité d'aujourd'hui.

LES BŒUFS DE L'INSTITUTRICE

Le conseil municipal de Saint-Adolphe, canton d'Howard, comté d'Argenteuil, a été saisi ces jours derniers d'une question très importante dont il a discuté pendant toute une séance. Voici ce dont il s'agissait : l'institutrice de la localité se rendait habituellement à l'école paroissiale dans un traîneau tiré par des bœufs. Lorsque

vinrent les grandes tombées de neige en février, le chemin fut bloqué et les «habitants» tracèrent une route sur la glace de la rivière. Comme les bœufs de la maîtresse d'école n'étaient pas ferrés, ils ne pouvaient suivre cette route. La municipalité ne voulut pas enlever la neige du grand chemin et l'institutrice tint l'école fermée pendant trois semaines. Plainte a été portée devant le conseil qui a décidé après une longue discussion que le chemin de la reine serait déblayé par corvée.

L'école a été ouverte de nouveau lundi dernier.

Cette nouvelle a été publiée le 13 mars 1891.

Cela se passait le 21 janvier 1895.

LES CHAPEAUX AU THÉÂTRE

Jefferson, Mo., 21 – Un projet de loi doit être présenté à la législature du Missouri, dans le but d'interdire aux femmes, sous peine d'amendes et même d'emprisonnement, de porter au théâtre des chapeaux pouvant empêcher les personnes placées derrière elles de voir ce qui se passe sur la scène.

LES CHEVAUX DE L'HÔPITAL NOTRE-DAME

Les autorités de l'hôpital Notre-Dame viennent de faire l'acquisition de deux superbes chevaux pour le service de l'ambulance. Ce sont des chevaux anglais qui ont été choisis, et ils ne manqueront pas de donner satisfaction. Déjà ils ont fait leurs preuves, et l'on nous assure qu'à l'avenir aucune voiture d'ambulance de la ville ne pourra surpasser en vitesse celle de l'hôpital Notre-Dame.

Cela se passait le 16 décembre 1902.

Les services d'ambulance ont bien changé. Aujourd'hui, des véhicules très perfectionnés servent d'ambulances. Ils contiennent tout l'équipement nécessaire pour donner les premiers soins : bouteilles d'oxygène, médicaments, pansements, attelles, défibrillateur cardiaque... Les ambulanciers et ambulancières peuvent ainsi parer au plus pressé et administrer des analgésiques au besoin avant de contacter leurs collègues de l'hôpital pour les informer de l'état des patients ou patientes qui arrivent.

L'AUBAINE AU PLUS MATINAL *Une auto pour 99 ¢*

Cela se passait le 5 novembre 1926.

Monsieur Georges-A. Martin, du 1819, rue Gauthier, avait toutes les raisons au monde de s'être levé tôt, ce matin du 5 novembre 1926, et de se présenter le premier à la grande vente chez Charles-H. Pettit & Co. Ltd. En effet, il en est reparti au volant d'un Chevrolet Touring, payé 99 cents. Vous avez bien lu, quatre-vingt-dix-neuf cents ! Et le moteur était compris dans le prix…

Source : *La Presse, 100 ans d'actualités,* p.18, 53, 82 et 126. © Les Éditions La Presse ltée.

Le 20 juillet, à 22 h 56

L'HOMME A CONQUIS LA LUNE

Un petit pas pour l'Homme, un pas de géant pour l'Humanité

— Neil Armstrong

par Jean Paul Daze

Lorsque Neil Armstrong a posé le pied sur la Lune à 22 h 56 hier soir (20 juillet 1969), le «mot» tant attendu qu'il a prononcé s'adressait à toute la Terre: «C'est un petit pas pour l'Homme, c'est un pas de géant pour l'Humanité.»

Ce «petit pas» de la part de l'Homme peut signifier que cette première conquête humaine de la Lune pourra être suivie de conquêtes encore plus grandioses dans l'avenir, la Lune servant de tremplin à une exploration de notre Univers.

Le «pas de géant pour l'Humanité», c'est la réalisation du rêve millénaire de

l'Homme de se rendre sur la Lune, cet astre qu'il contemple depuis si longtemps, qu'il a commencé par craindre, pour ensuite le défier, l'adorer, avant d'en violer la solitude avec des instruments optiques, puis finalement de le conquérir.

Cette phrase historique, Neil Armstrong l'a prononcée quatre jours, 13 heures, 24 minutes et 20 secondes après avoir quitté Cap Kennedy.

Lorsque Armstrong et Edwin Aldrin ont planté le drapeau des États-Unis, non pour prendre possession de la Lune, mais simplement pour signifier que c'était leur pays qui avait réussi cet exploit historique, ils n'ont pas

prononcé de grandes phrases. Au contraire, ils sont restés silencieux de longs moments, presque au garde-à-vous, savourant sans doute ce moment en prévision duquel ils avaient travaillé si ardument. Cet autre moment historique est survenu à 23 h 43.

Le premier exploit de la journée, l'atterrissage sur la Lune, a été salué par une phrase d'une simplicité désarmante de la part de Neil Armstrong : « L'Aigle a atterri », il était 16 h 17.

Cette « sécheresse » s'explique par le fait que l'équipage venait de vivre des minutes épuisantes, énervantes, d'une grande intensité dramatique. Quelques minutes plus tard, cependant, Aldrin, au nom de l'équipage de la mission « Apollo-11 », a lu le message suivant :

« Je voudrais saisir cette occasion pour demander à tous ceux qui nous écoutent, où qu'ils soient, de se recueillir pour un instant, de méditer les événements des dernières heures et de rendre grâce chacun à sa façon. »

Beaucoup de choses seront dites et écrites au sujet de cet exploit, souhaitons qu'elles aient la même sincérité et la même simplicité que celles des principaux acteurs de l'événement.

Source : *La Presse,*
100 ans d'actualités, p.233.
© Les Éditions La Presse ltée.

Dans cet article, on ne parle pas de Michael Collins, troisième membre de l'équipage d'Apollo 11 : il était resté dans la navette spatiale.

L'humanité tout entière fut émerveillée par l'exploit d'Apollo 11 : l'Homme avait enfin touché un sol autre que la Terre.

Par la suite, missions et séjours se succéderont. Au total, six équipes d'astronautes se poseront sur la Lune, la dernière en 1972.

Depuis, c'est Mars qui intrigue les scientifiques. C'est en effet la planète qui semble avoir le plus de points communs avec la Terre. C'est une planète rocheuse : on peut donc y marcher. La température y est supportable (entre 32 °C et – 140 °C), en se protégeant adéquatement du froid bien sûr. Le plus extraordinaire, c'est qu'elle possède une atmosphère.

Un président américain a d'ailleurs dit : « Il y aura un homme sur Mars en 2019. » Toutefois, c'est plus facile à dire qu'à faire ! Mars se trouve 500 fois plus loin que la Lune. Il faudrait environ un an pour effectuer le trajet aller–retour.

Jusqu'à maintenant, la conquête de Mars a été une affaire de machines : Pathfinder, Global Surveyer... Il faut faire avancer les connaissances sur cette planète avant le premier « amarsissage »...

Le fleuve franchi en quatre minutes

Cela se passait le 16 décembre 1905.

On fera l'essai à Longueuil, dans quelques jours, d'une grande voiture à traction grâce à l'initiative de deux des nôtres : MM. Elzéar Pigeon et Philias Brissette, et qui est une innovation dans le système de locomotion durant l'hiver.

Ce char omnibus, qui aura une trentaine de pieds de longueur et neuf de largeur est destiné à faire le service sur le fleuve cet hiver entre Hochelaga et Longueuil. Il logera une cinquantaine de personnes et sera divisé en deux compartiments, dont l'un, situé à l'avant du véhicule, sera à l'usage exclusif des fumeurs. Sa charpente ressemble à celle d'un tramway et repose sur des patins de dix pieds de long par huit pouces de large, relevés à chaque extrémité de façon à marcher dans les deux sens.

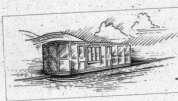

Cette voiture d'un nouveau genre sera mise en mouvement par un moteur à l'huile d'une capacité de dix forces, placé vers le milieu. Un câble en fer d'une longueur de près de 7000 pieds, et dont les extrémités auront été solidement attachées sur chacune des deux rives du fleuve, s'enroulera au centre de la machine sur une roue en fer et permettra ainsi de déployer une grande vitesse.

Deux timons placés à chaque bout du char, et à l'extrémité desquels le câble défilera, serviront pour ainsi dire de gouvernail au char et l'empêcheront de dévier de sa route.

Tel que l'indique notre vignette, le mécanicien se trouvera assis dans une logette dépassant de deux pieds environ l'un des côtés du funiculaire et cela afin de lui permettre de voir en avant.

On se propose de franchir la distance qui sépare les deux rives, soit un mille et demi environ, en trois ou quatre minutes tout au plus et de donner un service de toutes les demi-heures, de 6 heures du matin à minuit.

Source : *La Presse,
100 ans d'actualités*, p. 53.
© Les Éditions La Presse ltée.

À l'époque, traversiers et ponts de glace assuraient le transport des personnes et des marchandises entre Montréal et la rive sud du fleuve Saint-Laurent.

En 1860, le pont Victoria est construit pour assurer le transport ferroviaire. Beaucoup plus tard, de longs ponts routiers enjamberont le fleuve : le pont Jacques-Cartier (1930), le pont Honoré-Mercier (1934) et le pont Champlain (1962).

Pour l'Exposition universelle de Montréal, en 1967, on inaugurera des chemins sous-marins sous le fleuve : le tunnel Louis-Hippolyte-Lafontaine et la ligne de métro Berri-UQAM-Longueuil.

1. En grand groupe, répondez aux questions suivantes :

a) Quel est l'article qui a vous a le plus étonnés ? intéressés ? amusés ? Pourquoi ?

b) Qu'avez-vous appris de nouveau en lisant cet article ?

2. a) Individuellement, choisis l'article qui te plaît le plus et effectue les activités proposées sur la feuille qu'on te remettra. Tu devras d'abord vérifier si l'article répond aux cinq questions journalistiques. Ensuite, tu chercheras les différences entre les événements présentés dans cet article et ce qui se passe aujourd'hui.

b) Compare tes réponses avec celles des élèves qui ont fait le même choix que toi.

3. Que diriez-vous de préparer une lecture expressive des articles présentés aux pages 85 à 89 pour les faire connaître à des élèves d'une autre classe ? Placez d'abord tous les articles en ordre chronologique. (Vous pourriez même en ajouter en consultant de vieux journaux.)

Divisez la classe en petites équipes selon le nombre d'articles retenus. Faites une courte recherche sur l'habillement, la coiffure et les manières des gens de cette époque. Déguisez-vous de façon à leur ressembler le plus possible.

Lisez vos nouvelles en commençant par la plus ancienne et en y intégrant les différents personnages déguisés. (Par exemple, l'institutrice et un représentant ou une représentante du conseil municipal pourraient accompagner le présentateur ou la présentatrice.)

4. Individuellement, prends en note dans ton carnet de lecture la référence des textes présentés aux pages 85 à 89. Peut-être voudras-tu lire d'autres articles de ce genre plus tard.

Résume ensuite ton article ou celui que tu trouves le plus surprenant parmi ceux que tu as lus.

Clés en main

Les finales des verbes (3ᵉ partie)

Placez-vous en équipe de deux. Pour les tâches données aux numéros
1 à 4, utilisez les tableaux de conjugaison des pages 156 à 160.

1. Observez les finales des verbes conjugués avec *tu*.

a) Par quelle lettre se terminent presque tous
les verbes conjugués avec *tu* ?

b) Quels sont les deux verbes conjugués
à l'indicatif présent dont la finale est
différente ?

c) Par quelle lettre se terminent ces
deux verbes ?

2. Observez les finales des verbes conjugués avec *vous*.

a) Par quelles lettres se terminent presque tous les verbes conjugués
avec *vous* ?

b) Quels sont les trois verbes conjugués à l'indicatif présent qui sont
des exceptions ?

3. Observez les finales des verbes conjugués avec *nous*.

a) Par quelles lettres se terminent tous les verbes conjugués avec *nous*,
à l'exception d'un seul ?

b) Quel est ce verbe qui fait exception à la règle ?

4. a) Complétez votre enquête en remplissant un tableau dans lequel
vous indiquerez les finales possibles des verbes conjugués à toutes
les personnes.

je	tu	il/elle/on	nous	vous	ils/elles
▬	▬	▬	▬	▬	▬
			(1 exception)	(3 exceptions)	

b) Pour chacune des finales des verbes du tableau, donnez un exemple
en mettant le verbe de votre choix à l'indicatif présent.

5. a) Repérez tous les verbes conjugués dans le texte suivant. Trouvez ensuite le sujet de chaque verbe. Si le sujet est un groupe du nom, remplacez-le par un pronom. Vérifiez ensuite la finale du verbe.

Embellissons

Attention à la propreté des terrains de jeux! Tu ne dois jamais abandonner tes déchets sur le sol. Les morceaux de verre, par exemple, peuvent blesser quelqu'un. Tu peux même organiser une activité de ramassage des déchets avec tes amis. Munis de sacs de poubelle, vous ramasserez les détritus sur le sol. Vous contribuerez ainsi à l'embellissement de votre environnement.

b) Écrivez un court article pour décrire une activité de ramassage organisée au terrain de jeu voisin de votre école. Placez-y cinq ou six phrases à l'indicatif présent. Aidez-vous de ces phrases:

Nous sommes présentement à ■. Le spectacle qui se déroule devant nos yeux est ■. En effet, ■.

Je comprends

Les finales des verbes

Un verbe qui a pour sujet un pronom de la **deuxième personne du singulier** (*tu*) a pour finale la lettre *s* ou *x*.

Ex.: Tu aime**s** les fleurs.

Un verbe qui a pour sujet un pronom de la **première personne du pluriel** (*nous*) a pour finale les lettres *ons*.

Ex.: Nous aim**ons** les fleurs.
Exception: Nous sommes.

Un verbe qui a pour sujet un pronom de la **deuxième personne du pluriel** (*vous*) a pour finale les lettres *ez*.

Ex.: Vous aim**ez** les fleurs.
Exceptions: Vous dites, vous êtes, vous faites.

Dans l'extrait du texte qui suit, une petite fille découvrira le jardin du peintre Claude Monet. Essaie d'en imaginer toute la beauté en lisant cet extrait.

Le jardin de
Monet

Me croirez-vous si je vous dis que je suis allée dans le jardin d'un peintre? Et à Paris s'il vous plaît! Florent m'a accompagnée; c'est lui qui en avait eu l'idée. Mais peut-être devrais-je commencer par le commencement.

J'aime les fleurs. Je m'intéresse à tout ce qui pousse, c'est dans ma nature. C'est aussi la passion de Florent. Il habite dans le même immeuble que moi. Florent est jardinier, mais aujourd'hui il est retraité et c'est vraiment chouette, car il a ainsi

Claude Monet est un peintre français né à Paris en 1840.

C'est en s'inspirant d'une de ses toiles qu'une grande école de peinture est née: le mouvement impressionniste. Pourquoi? Parce qu'un critique d'art, voyant la toile **Impression soleil levant** de Monet, a trouvé son œuvre très laide et a dit ne pas être très «impressionné»...: le mot restera. À l'époque, ce qui était beau, c'était les toiles de couleurs foncées représentant des femmes peintes dans un décor intérieur. Monet, lui, aimait peindre à l'extérieur des toiles colorées représentant des fleurs! Il aimait tellement les fleurs qu'il a lui-même aménagé un jardin merveilleux pour pouvoir avoir encore plus de fleurs à peindre sur ses toiles. Monet est aujourd'hui un des peintres les plus admirés dans le monde!

beaucoup de temps à me consacrer. Je crois qu'il connaît pratiquement tout ce que l'on peut savoir sur les plantes.

Dans son appartement, il y a un livre que je regarde souvent. Il parle de Claude Monet, un artiste-peintre français. Lui aussi aimait les fleurs et il a peint de nombreux tableaux sur ce thème. Les plus célèbres sont ses peintures de nénuphars.

Les tableaux de Monet sont reproduits dans le livre de Florent. Celui-ci contient aussi des photos de Monet, de sa femme Alice et de leurs huit enfants, de leur jardin et de la grande maison rose où ils ont emménagé il y a un peu plus de cent ans. Sous l'impulsion de Monet, le jardin s'est embelli au fil des ans. Il y a planté de plus en plus de fleurs. Puis, il a représenté le jardin dans ses peintures. Il y a même construit un petit étang pour y planter des nénuphars dont il pouvait s'inspirer pour ses toiles.

Enfin, le pont japonais !

Après avoir vu le jardin et la maison, il nous restait la plus belle partie à visiter : l'étang aux nénuphars. Pour y aller, nous devions aller tout droit jusqu'au fond du jardin et traverser un petit tunnel sous la grand-route.

– Le pont japonais, Florent !

Lorsque nous sommes enfin arrivés sur le pont, je me sentais si bien que j'en ai eu les larmes aux yeux.
(Et Florent aussi : je suis sûre, je l'ai vu.)

– Qu'est-ce que je te disais ? déclara Florent. Nous y sommes !

– Oui, nous y sommes, dis-je, et c'est un moment formidable !

En dessous de nous poussaient des nénuphars – des rouges, des roses, des blancs. Sur le pont même grimpait une plante appelée glycine. J'en ai pris une feuille et je l'ai pressée dans mon carnet à dessins.

– Regarde là-bas, dans les bambous, dit Florent.

Oui, le canot vert y était amarré!

Presque comme sur la peinture du musée Marmottan.

Les enfants de Monet avaient l'habitude de ramer sur l'étang. Nous avons vu de gros poissons qui nageaient dans l'eau. Florent a dit que c'étaient des carpes. En mangeant les petits animaux et les petites plantes, les carpes aident à maintenir l'étang propre.

Le bassin aux nymphéas: harmonie verte, de Monet

– Maintenant, ne regardons plus le pont avant d'avoir vu de l'autre côté de l'étang, dis-je à Florent.

– Pourquoi? s'étonna-t-il.

– Eh bien, parce que nous pourrons ainsi saisir chacun notre propre impression du pont, exactement comme le faisait Monet.

Mais quand nous y sommes allés, j'ai complètement oublié de garder mon impression – elle a disparu parce qu'un oiseau est passé et qu'un gentil promeneur en veston à carreaux nous a dit «bonjour», et il y avait la roue pour les écluses qui laissent entrer de l'eau fraîche dans l'étang (elle provient de la petite Seine). Non, vraiment, je n'ai pas été capable de «saisir des impressions», et Florent non plus.

Mais Monet s'exerçait à saisir des impressions. Tous les jours, il regardait son pont. Il remarquait qu'il lui apparaissait différemment selon qu'il le voyait le matin ou le soir ou selon que le temps était ensoleillé ou nuageux. C'est la lumière du soleil qui déterminait l'apparence des choses.

Monet a réalisé de nombreuses peintures du pont. Toutes différentes. Il sortait en général plusieurs toiles à la fois et peignait un peu sur cha-cune d'elles au fur et à mesure que le soleil montait dans le ciel. Les gens le trouvaient bizarre parce qu'il peignait et repeignait sans cesse le même pont.

Devenu plus vieux, Monet eut une maladie des yeux appelée *cataracte*. À la fin, il voyait à peine; néanmoins, il continuait de peindre bien que ses peintures fussent complètement rouges. Lorsque, finalement, il risqua une opération, il put revoir toutes les autres couleurs.

J'ai pris mon carnet à dessins et j'ai commencé à dessiner l'un des nénuphars. Il était vraiment trop difficile de dessiner tout l'étang avec les nuages qui se réfléchissaient à la surface en même temps que l'herbe ondulait sous l'eau.

Le nénuphar n'était pas trop mal réussi, mais je n'en étais pas réellement satisfaite. Monet, quant à lui, n'était jamais satisfait. Parfois il était si mécontent qu'il prenait toute une pile de peintures et qu'il les brûlait dans le jardin.

Florent m'a raconté que Monet avait acheté la propriété quand il avait 53 ans. Il aurait pu acheter la maison trois ans plus tôt car, enfin, les gens avaient vraiment commencé à aimer et à acheter ses toiles.

J'ai photographié l'étang sous tous les angles. Florent avait peur que je ne tombe dans l'eau en prenant des photos des nénuphars.

Source : Christina Björk, *Le Jardin de Monet* (ill. de L. Anderson), p. 25, 26, 28, 30, 33.
© R&S Books, distribué par Douglas & McIntyre, Toronto. Traduction : © Éditions Casterman, 1987.

Discussion en grand groupe

1. Pour te préparer à la discussion en grand groupe, compose une ou deux questions sur cette histoire. Au moment choisi par ton enseignant ou enseignante, pose ta ou tes questions aux autres élèves. Donne ensuite la réponse si elle n'est pas trouvée.

Travail individuel

2. Sur la feuille qu'on te remettra, reproduis quelques fleurs de ton choix qu'on pourrait trouver dans le jardin de Monet. Indique le nom de chacune et celui de ses principales parties. Au besoin, consulte les planches de fleurs que tu trouveras dans ton dictionnaire.

Colle ensuite ton travail dans ton carnet de lecture et ajoutes-y la source du texte que tu viens de lire.

Clés en main

Mes mots

agir	désobéir	une malchance	pressé
une agitation	désobéissant	malchanceux	pressée
un arrêt	désobéissante	malchanceuse	presser
l'avantage	son dévouement	malgré	remettre
avantageux	exister	le mort	votre retard
avantageuse	fermé	la morte	sauver
avant-hier	fermée	peut-être	un soldat
leur cachette	fermer	possédé	une soldate
son cahier	un gardien	possédée	vivant
choisir	une gardienne	posséder	vivante
le courant	le grenier		
décidé	une information		
décidée	intime		
décider	laisser		

Mes verbes conjugués

ALLER

CONDITIONNEL PRÉSENT

Personne	Radical	Terminaison
j'	i	**rais**
tu	i	**rais**
il/elle	i	**rait**
nous	i	**rions**
vous	i	**riez**
ils/elles	i	**raient**

FAIRE

CONDITIONNEL PRÉSENT

Personne	Radical	Terminaison
je	fe	**rais**
tu	fe	**rais**
il/elle	fe	**rait**
nous	fe	**rions**
vous	fe	**riez**
ils/elles	fe	**raient**

Consulte ton tableau *Mes mots* pour effectuer les tâches des numéros 1 à 4.

1. Repère tous les mots qui contiennent le son [s] et remplis un tableau comme celui-ci :

Redoublement du *s*	*s* en début de mot ou entre une voyelle et une consonne	*c* devant *e, i* ou *y*	*t* devant *ion*
désobéissant	sauver exister	décidé	agitation

2. a) Trouve les mots qui contiennent un *s* qui se prononce [z].

b) Explique dans tes mots la règle du *s* qui se prononce [z].

3. Trouve tous les mots qui contiennent la lettre *g*. Classe-les dans un tableau à deux colonnes selon qu'il s'agit du *g* dur (ex. : **g**uitare) ou du *g* doux (ex. : **g**éant).

4. Trouve :

a) un nom de la famille de *dévouer* ;

b) le contraire de *vivant* ;

c) deux mots composés ;

d) trois mots de même famille formés de deux mots collés ;

e) un synonyme de *personnel* (*secret*).

5. a) Consulte ton dictionnaire pour trouver un mot de la même famille que chacun des mots suivants : *arrêt, cachette, retard*.

b) Compose une phrase avec chacun des mots trouvés en a).

6. Complète chaque phrase en utilisant le mot *fermé, fermée* ou *fermer*.

a) Un chaton est entré dans la maison par cette fenêtre mal ■.

b) Tu dois ■ ton journal parce que j'ai quelque chose à te dire.

c) Musée ■ pour quelques heures, veuillez revenir plus tard.

7. Dans chacune des séries, trouve le mot qui est formé d'un préfixe et d'un mot de base.

Ex. : recevoir, reluire, respirer
  ► reluire : re + luire

a) décider, démolir, désobéir

b) démonstratif, désobéissant, dévoué

c) déguerpir, dénoncer, déposséder

d) remettre, réprimander, reprocher

e) refermer, retentir, revigorer

8. Dans ton dictionnaire, trouve un mot formé avec le préfixe *dé-* ou *dés-* et un mot formé avec le préfixe *re-* (autres que les mots donnés au numéro 7). Avec chacun des mots trouvés, compose une phrase.

Voici l'histoire touchante d'une jeune fille juive et de sa famille qui ont dû se cacher un long moment pendant la Seconde Guerre mondiale. Lis l'extrait du récit d'Anne Frank, une page de son journal intime et sa fiche biographique, afin de connaître son histoire. Imagine les émotions qu'ont pu vivre Anne et sa famille.

Anne Frank

Le récit d'Anne Frank

Chapitre 1

C'est la guerre. L'Europe est presque entièrement occupée par les Allemands [...]. La famille Frank a fui l'Allemagne [...], pour s'installer à Amsterdam. Mais en 1940, la Hollande, elle aussi, a été envahie.

Pourtant, ce matin, Anne Frank ne pense ni aux bombes, ni aux soldats, ni aux lois qui empêchent les familles juives comme la sienne de vivre normalement. Elle pense aux cadeaux, à la fête, aux surprises. C'est le 12 juin 1942. Son anniversaire. Elle a treize ans.

Il est six heures quand elle se réveille, impatiente. Mais chut! Ses parents et sa sœur aînée Margot dorment encore. Bientôt, elle n'y tient plus. Vite! Au salon!

La table est couverte de cadeaux: un bouquet de roses, deux branches de pivoines, une petite plante, un jeu de société, un puzzle, des livres, des petits gâteaux, des bonbons, une tarte aux fraises maison, une petite bouteille de jus de raisin qui ressemble à du vrai vin, un joli chemisier bleu!

Mais celui qu'Anne voit en premier, c'est un gros cahier carré. Sa couverture cartonnée est habillée d'un beau tissu écossais rouge et blanc. C'est un livre blanc, avec fermoir. Ce sera son journal, son premier journal intime ! Rien ne pouvait lui faire plus plaisir.

Car Anne Frank se sent seule et révoltée. Sans personne à qui parler. Elle a bien des camarades de classe – et une foule d'admirateurs – mais pas d'amie intime. Elle qui a tant de choses à dire ! Tant de sentiments à partager !

Au bout d'une semaine de notes dans son journal, elle a une idée : « Le papier a plus de patience que les gens. » Et on dit bien « journal intime », comme « amie intime ». Alors, écrit Anne : « Je veux faire de ce journal l'amie elle-même et cette amie s'appellera Kitty. »

À partir du 20 juin 1942, chaque page du cahier à carreaux commencera comme une lettre adressée à « Chère Kitty », « Ma chérie adorée » ou « Très chère Kitty », selon l'humeur d'Anne.

Ce même jour, elle note :

« C'est une sensation très étrange, pour quelqu'un dans mon genre, d'écrire un journal. Non seulement je n'ai jamais écrit, mais il me semble que plus tard, ni moi ni personne ne s'intéressera aux confidences d'une écolière de treize ans. »

Chapitre 2

Comme elle se trompe ! En rédigeant ses premières pages, Anne s'attend à décrire la vie quotidienne d'une adolescente, ses lectures, ses idées. Rien d'extraordinaire. Elle ne sait pas encore que son journal va devenir un témoignage irremplaçable sur la Seconde Guerre mondiale [...]. Car quelques semaines après son anniversaire, début juillet 1942, son père, Otto, lui révèle un grand secret : – Nous allons devoir nous cacher, et vivre complètement coupés du monde. Ce sera très dur, dit-il.

Source : Sophie Chérer, « Le récit de Anne Frank » (ill. : E. Cerisier), dans *Je lis des histoires vraies*, p. 6-7, 9-10 , © Fleurus Presse, 2000.

Le journal d'Anne Frank

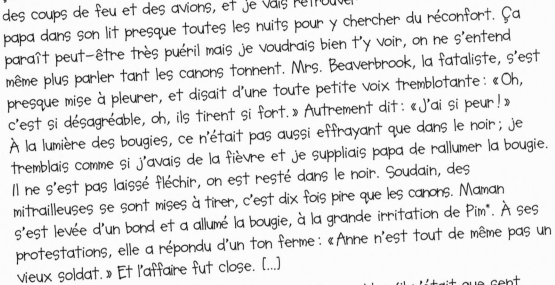

Mercredi, 10 mars 1943

Chère Kitty,

Hier soir, nous avons eu un court-circuit, en plus ça tiraillait sans arrêt. J'ai toujours aussi peur des coups de feu et des avions, et je vais retrouver papa dans son lit presque toutes les nuits pour y chercher du réconfort. Ça paraît peut-être très puéril mais je voudrais bien t'y voir, on ne s'entend même plus parler tant les canons tonnent. Mrs. Beaverbrook, la fataliste, s'est presque mise à pleurer, et disait d'une toute petite voix tremblotante : « Oh, c'est si désagréable, oh, ils tirent si fort. » Autrement dit : « J'ai si peur ! » À la lumière des bougies, ce n'était pas aussi effrayant que dans le noir ; je tremblais comme si j'avais de la fièvre et je suppliais papa de rallumer la bougie. Il ne s'est pas laissé fléchir, on est resté dans le noir. Soudain, des mitrailleuses se sont mises à tirer, c'est dix fois pire que les canons. Maman s'est levée d'un bond et a allumé la bougie, à la grande irritation de Pim*. À ses protestations, elle a répondu d'un ton ferme : « Anne n'est tout de même pas un vieux soldat. » Et l'affaire fut close. [...]

Il y a quelques jours, Peter est monté dans les combles (il n'était que sept heures et demie et il faisait encore jour) pour y chercher de vieux journaux. Pour redescendre l'escalier, il était obligé de tenir la trappe, il a posé la main sans regarder et... a failli rouler en bas de l'escalier, de peur et de douleur. Sans le savoir, il avait posé la main sur un énorme rat, qui lui avait mordu le bras à pleines dents. Le sang traversait son pyjama quand il est arrivé vers nous, pâle comme un linge et les genoux tremblants. Pas étonnant, caresser un gros rat n'est déjà pas si drôle, et se faire mordre par-dessus le marché, c'est vraiment épouvantable.

Bien à toi.

Anne

* Pim était le surnom donné par Anne à son père.

Source : *Journal de Anne Frank* (traduit du néerlandais par P. Noble et I. Rosselin-Bobulesco).
© Calmann-Lévy, 1992-2001.

FICHE BIOGRAPHIQUE

Nom : Anne Frank **Date et lieu de naissance :** 12 juin 1929 en Allemagne
Famille : Otto Frank (père), Édith Holländer (mère), Margot (sœur, née en 1926)

Dates importantes

1933 : Il y a élection d'un nouveau gouvernement en Allemagne. Anne, sa sœur, sa mère et son père, une famille juive, s'enfuient aux Pays-Bas.

1939 : C'est le début de la Seconde Guerre mondiale.

1940 : L'Allemagne envahit plusieurs pays, dont les Pays-Bas.

1942 : Le 12 juin, c'est l'anniversaire d'Anne. Elle reçoit son journal, qui deviendra célèbre.

Quelques semaines plus tard, les Frank se réfugient dans l'Annexe pour éviter d'être arrêtés. L'Annexe est un local désaffecté situé au-dessus de l'ancien bureau du père d'Anne, dont l'entrée est cachée par une bibliothèque tournante. Quelques amis leur apportent de la nourriture et les biens essentiels.

1942-1944 : La famille vit dans l'Annexe, totalement cachée. Anne écrit son journal.

1944 : Les Frank sont arrêtés le 4 août. Ils sont envoyés dans des camps de travail, sorte de prisons.

1945 : Décès de la mère, de la sœur et d'Anne. Quelques semaines plus tard, c'est la fin de la guerre.

1947 : On publie pour la première fois le journal d'Anne.

1. En équipe de trois ou quatre, discutez à partir des questions suivantes.

a) De qui parle-t-on dans ces textes ? Où et quand cela cela s'est-il passé ?

b) Qu'est-ce qui vous a frappés en les lisant ? Pourquoi ?

c) Qu'est-il arrivé à Anne et à sa famille ?

d) Quelles sont les deux phrases du journal intime d'Anne qui décrivent bien la crainte ressentie par Anne lors de la journée du 10 mars 1943 ?

e) Selon ce que tu as lu et entendu par rapport à l'histoire d'Anne, à quoi la rédaction de son journal intime a-t-elle servi ?

f) Cette histoire vous fait-elle penser à quelqu'un, à quelque chose ou à une autre histoire ? Expliquez votre réponse.

Comparez vos réponses avec celles d'une autre équipe. Présentez ensuite le résumé de vos discussions à la classe.

2. Individuellement, écrivez dans votre carnet de lecture un commentaire par rapport à ce qu'a vécu Anne.

À vos plumes

Un journal intime

Tous les jours, Anne Frank remplissait les pages de son journal de ses pensées et elle relatait des événements de son quotidien. As-tu déjà pensé, toi aussi, à écrire ton journal intime? Tu pourrais lui confier tes secrets, tes peines, tes joies et aussi prendre du recul par rapport à ce que tu vis.

Voici donc l'occasion, si ce n'est déjà fait, d'écrire les premières pages de ta vie…

Suis la démarche proposée pour réaliser cette activité d'écriture.

Je planifie

Pense à une journée récente, une journée qui t'inspire suffisamment pour avoir le goût de la raconter. Remplis l'organisateur qu'on te remettra pour noter tous les événements importants de cette journée en suivant l'ordre dans lequel ils se sont déroulés. Tout au long de la rédaction de ton journal, tu pourras bien sûr ajouter des éléments auxquels tu n'avais pas pensé ou en enlever d'autres que tu trouves moins intéressants.

Je rédige

Comme Anne, tu peux donner un nom à ton journal ou simplement commencer ton texte en écrivant «Cher journal». À toi de choisir.

En t'inspirant des renseignements consignés dans ton organisateur, écris à ton journal comme si tu t'adressais à une vraie personne.

Ajoute, au fur et à mesure, les idées qui te viennent à l'esprit. Rappelle-toi ce que tu as vécu et évoque les émotions que tu as ressenties.

Relis fréquemment la partie déjà rédigée pour t'aider à écrire la suite.

Je révise et je corrige

Normalement, lorsque tu écris un texte, tu rédiges ton brouillon, tu le corriges et tu écris ensuite ta version finale. Dans le cas d'un journal intime, c'est différent. Tu écris directement dans ton journal et tu fais ensuite les corrections nécessaires sur le texte que tu viens d'écrire. Pour ne pas avoir à effacer ou à ajouter trop de mots, tu dois donc faire l'effort d'écrire le premier jet le mieux possible.

Relis ton texte. Les phrases traduisent-elles ce que tu voulais vraiment dire? Apporte des corrections si c'est nécessaire.

Vérifie l'orthographe des mots, les accords dans les groupes du nom et les accords des verbes avec leur sujet. Corrige tes erreurs.

Je présente

Comme un journal intime est plutôt personnel, demande à un ami ou à une amie proche de lire ta rédaction et de la commenter. Est-ce que cette personne comprend bien ce que tu veux dire? Ressent-elle les émotions que tu as vécues? Trouve-t-elle ton texte intéressant?

Je m'évalue

Réfléchis aux commentaires faits par ton ami ou amie. Puis, participe à une discussion en grand groupe pour partager tes idées.

Un bulletin de nouvelles

Créer un bulletin de nouvelles pour la radio ou la télévision, c'est toute une aventure! Il faut d'abord être au courant des nouvelles, les comprendre et pouvoir les redire dans ses mots. Ensuite, il faut parler pour être écouté et compris. Ça te dit d'essayer?

Un calendrier culturel

Prépare une page de calendrier où tu noteras tous les événements culturels du mois. Pense à y inclure tout ce qui se passe à l'école ou dans ton quartier: activités du midi ou parascolaires, semaines thématiques, fêtes, sorties culturelles, événements importants. Consulte les journaux et les gens autour de toi pour enrichir ta banque d'événements.

Comment naviguer dans les eaux du cyberespace

Comment naviguer sur le web ou sur un cédérom, comment y rechercher efficacement de l'information? Pour t'aider, consulte le document que te remettra ton enseignant ou enseignante. Il peut te faire économiser temps et énergie!

Christian Pierre (1962–),
Dream Book

À destination

Encore quelques semaines et tu arriveras à destination. Que de chemin tu auras parcouru! Que de textes tu auras découverts! Pour terminer l'année, on te propose des extraits de romans. Tu remarqueras que tous ont un lien avec les voyages et les vacances… qui approchent à grands pas! Il y a même un extrait qui a été écrit il y a plus de cent ans: ce n'est pas d'hier que les gens prennent des vacances, semble-t-il. Prends plaisir à t'imaginer toutes ces belles histoires et à réaliser le dernier projet qu'on te proposera.

« J'ai laissé danser la brume
Au bras d'un fleuve rouge

J'ai laissé dorer mon cœur
Au bleu soleil de juillet

Laisse-moi chérir tes paysages
Les cajoler comme une page
Les admirer comme une clé
Dans la serrure de l'Aventure »

(Éric Valiquette, «L'aventure», dans **Recueil de lecture**.
Reproduit avec la permission du CFORP, 2003

Cruciverbiste en herbe

As-tu déjà fait des mots croisés? Connais-tu bien la marche à suivre? C'est simple et amusant, tu verras!

Observe la grille donnée sur la feuille qu'on te remettra. Familiarise-toi ensuite avec la démarche suivante; elle t'aidera à bien remplir ta grille de mots croisés.

1. Décide quelles cases tu essaieras de remplir en premier: les cases horizontales ou les cases verticales?

2. Lis la première définition (voir sur les feuilles remises). Si tu connais la réponse, inscris-la au crayon à la mine dans les bonnes cases (comme ça, tu pourras effacer si tu as fait une erreur). Si tu ne connais pas la réponse, passe à la définition suivante, tu y reviendras plus tard.

3. Trouve ainsi le plus de réponses possible. Reviens ensuite aux définitions dont tu ignorais la réponse. Les indices donnés par les lettres déjà inscrites t'aideront.

Cette histoire se passe en France, au château de Fleurville, au début du mois de juillet 1858. Camille et Madeleine de Fleurville, en compagnie de Sophie Fichini et Marguerite de Rosbourg, attendent impatiemment l'arrivée des cousins, Léon, Jean et Jacques. Elles ont bien hâte de s'amuser avec eux. Comment occuperont-ils leurs journées? Lis l'histoire suivante pour le découvrir.

Les vacances

«Les voilà! les voilà! les voitures ont passé la barrière, et elles entrent dans le bois.»

Camille, Madeleine et Sophie se précipitèrent vers le perron [...]: elles auraient bien voulu courir au-devant de leurs cousins, mais les mamans les en empêchèrent.

Quelques instants après, les voitures s'arrêtaient devant le perron aux cris de joie des enfants. M. et Mme de Rugès et leurs deux fils, Léon et Jean, descendirent de la première. M. et Mme de Traypi et leur petit Jacques descendirent de la seconde. Pendant quelques instants ce fut un tumulte, un bruit, des exclamations à étourdir.

Léon était un beau et grand garçon blond, un peu moqueur, un peu rageur, un peu indolent et faible, mais bon garçon au fond; il avait treize ans.

Jean était âgé de douze ans; il avait de grands yeux noirs pleins de feu et de douceur; il avait du courage et de la résolution; il était bon, complaisant et affectueux.

Jacques était un charmant enfant de sept ans, il avait les cheveux châtains et bouclés, les yeux pétillants d'esprit et de malice, les joues roses, l'air décidé, le cœur excellent, le caractère vif, mais jamais d'humeur ni de rancune.

CAMILLE: Comme tu es grandi, Léon!

LÉON : Comme tu es embellie, Camille !

MADELEINE : Jean a l'air d'un petit homme maintenant.

JEAN : Un vrai homme, tu veux dire, comme toi tu as l'air d'une vraie demoiselle.

MARGUERITE : Mon cher petit Jacques, que je suis contente de te revoir ! Comme nous allons jouer !

JACQUES : Oh ! oui, nous ferons beaucoup de bêtises, comme il y a deux ans !

MARGUERITE : Te rappelles-tu les papillons que nous attrapions ?

JACQUES : Et tous ceux que nous manquions ?

MARGUERITE : Et ce pauvre crapaud que nous avons mis sur une fourmilière ?

JACQUES : Et ce petit oiseau que je t'avais déniché, et qui est mort parce que je l'avais trop serré dans mes mains ?

« Oh ! que nous allons nous amuser ! » s'écrièrent-ils ensemble en s'embrassant pour la vingtième fois.

Sophie seule restait à l'écart ; on l'avait embrassée en descendant de voiture ; mais elle sentait que, ne faisant pas partie de la famille, n'ayant été admise à Fleurville que par suite de l'abandon de sa belle-mère, elle ne devait pas se mêler indiscrètement à la joie générale. Jean s'aperçut le premier de l'isolement de la pauvre Sophie, et, s'approchant d'elle, il lui prit les mains en lui disant avec affection :

« Ma chère Sophie, je me suis toujours souvenu de ta complaisance pour moi lors de mon dernier séjour à Fleurville ; j'étais alors un petit garçon ; maintenant que je suis plus grand, c'est moi qui te rendrai des services à mon tour.

SOPHIE : Merci de ta bonté, mon bon Jean ! Merci de ton souvenir et de ton amitié pour la pauvre orpheline.

CAMILLE : Sophie, chère Sophie, tu sais bien que nous sommes tes sœurs, que maman est ta mère ! Pourquoi nous affliges-tu en t'attristant toi-même ?

Sophie : Pardon, bonne Camille ; oui, j'ai tort ! J'ai réellement trouvé ici une mère et des sœurs.

– Et des frères, s'écrièrent ensemble Léon, Jean et Jacques.

– Merci, mes chers frères, dit Sophie en souriant. J'ai une famille dont je suis fière.

– Et heureuse, n'est-ce pas ? dit tout bas Marguerite d'un ton caressant et en l'embrassant.

– Chère Marguerite! répondit Sophie en lui rendant son baiser.

– Mes enfants, mes enfants! descendez vite; venez goûter», dit Mme de Fleurville qui était restée en bas avec ses sœurs et ses beaux-frères.

Les enfants ne se firent point répéter une si agréable invitation; ils descendirent en courant et se trouvèrent dans la salle à manger, autour d'une table couverte de fruits et de gâteaux.

Tout en mangeant, ils formaient des projets pour le lendemain.

Léon arrangeait une partie de pêche, Jean arrangeait des lectures à haute voix. Jacques dérangeait tout; il voulait passer la journée avec Marguerite pour attraper des papillons et les piquer dans ses boîtes, pour dénicher des oiseaux, pour jouer aux billes, pour regarder et copier les images. Il voulait avoir Marguerite le matin, l'après-midi, le soir. Elle demandait qu'il lui laissât la matinée jusqu'au déjeuner pour travailler.

Jacques: Impossible! C'est le meilleur temps pour attraper les papillons.

Marguerite: Eh bien alors, laisse-moi travailler d'une heure à trois.

Jacques: Encore plus impossible: c'est justement le temps qu'il nous faudra pour arranger nos papillons, étendre leurs ailes, les piquer sur les planches de liège.

Marguerite: Comment, les piquer! Pauvres bêtes! Je ne veux pas les faire souffrir et mourir si cruellement.

Jacques: Ils ne souffriront pas du tout; je leur serre la poitrine pour les étouffer avant de les piquer; ils meurent tout de suite.

Marguerite: Tu es sûr qu'ils meurent, qu'ils ne souffrent plus?

Jacques: Très sûr, puisqu'ils ne bougent plus.

Marguerite: Mais, Jacques, tu n'as pas besoin de moi pour arranger tes papillons?

Jacques: Oh! ma petite Marguerite, tu es si bonne, je t'aime tant! Je m'amuse tant avec toi et je m'ennuie tant tout seul!

Léon: Et pourquoi veux-tu avoir Marguerite pour toi tout seul? Nous voulons aussi l'avoir; quand nous pêcherons, elle viendra avec nous.

JACQUES: Vous êtes déjà cinq! Laissez-moi ma chère Marguerite pour m'aider à arranger mes papillons…

MARGUERITE: Écoute, Jacques. Je t'aiderai pendant une heure; ensuite nous irons pêcher avec Léon. »

Jacques grogna un peu. Léon et Jean se moquèrent de lui. Camille et Madeleine l'embrassèrent et lui firent comprendre qu'il ne fallait pas être égoïste, qu'il fallait être bon camarade et sacrifier quelquefois son plaisir à celui des autres. Jacques avoua qu'il avait tort, et il promit de faire tout ce que voudrait sa petite amie Marguerite.

Le goûter était fini; les enfants demandèrent la permission d'aller se promener et partirent en courant à qui arriverait le plus vite au jardin de Camille et de Madeleine. Ils le trouvèrent plein de fleurs, très bien bêché et bien cultivé.

JEAN: Il vous manque une petite cabane pour mettre vos outils, et une autre pour vous mettre à l'abri de la pluie, du soleil et du vent.

CAMILLE: C'est vrai, mais nous n'avons jamais pu réussir à en faire une; nous ne sommes pas assez fortes.

LÉON: Eh bien, pendant que nous sommes ici, Jean et moi, nous bâtirons une maison.

JACQUES: Et moi aussi j'en bâtirai une pour Marguerite et pour moi.

Léon, *riant*: Ha! ha! ha! Voilà un fameux ouvrier! Est-ce que tu sauras comment t'y prendre?

JACQUES: Oui, je le saurai, et je la ferai.

MADELEINE: Nous t'aiderons, mon petit Jacques, et je suis bien sûre que Léon et Jean t'aideront aussi.

JACQUES: Je veux bien que tu m'aides, toi, Madeleine, et Camille aussi, et Sophie aussi; mais je ne veux pas de Léon, il est trop moqueur.

JEAN, *riant*: Et moi, Jacques, Ta Grandeur voudra-t-elle accepter mon aide?

JACQUES, *fâché*: Non, monsieur, je ne veux pas de toi non plus; je veux te montrer que Ma Grandeur est bien assez puissante pour se passer de toi.

SOPHIE: Mais comment feras-tu, mon pauvre Jacques, pour atteindre au haut d'une maison assez grande pour nous tenir tous?

JACQUES: Vous verrez, vous verrez; laissez-moi faire: j'ai mon idée. »

Et il dit quelques mots à l'oreille de Marguerite, qui se mit à rire et lui répondit, bas aussi:

« Très bien, très bien, ne leur dis rien jusqu'à ce que ce soit fini. »

Les enfants continuèrent leur promenade; on mena les cousins au potager, où ils passèrent en revue tous les fruits, mais sans y toucher, puis à la ferme, où ils visitèrent la vacherie, la bergerie, le poulailler, la laiterie; ils étaient tous heureux; ils riaient, ils couraient, grimpant sur des arbres, sautant des fossés, cueillant des fleurs pour en faire des bouquets qu'ils offraient à leurs cousines et à leurs amies. Jacques donnait les siens à Marguerite. Ceux de Jean étaient pour Madeleine et Sophie; Léon réservait les siens à Camille. Ils ne rentrèrent que pour dîner. La promenade leur avait donné bon appétit; ils mangèrent à effrayer leurs parents. Le dîner fut très gai. Aucun d'eux n'avait peur de ses parents; pères, mères, enfants riaient et causaient gaiement. Après le dîner on fit tous ensemble une promenade dans les champs et l'on rapporta une quantité de bluets; le reste de la soirée se passa à faire des couronnes pour les demoiselles; Léon, Jean, Jacques aidaient; ils coupaient les queues trop longues, préparaient le fil, cherchaient les plus beaux bluets. Enfin arriva l'heure du coucher des plus jeunes, Sophie, Marguerite et Jacques, puis des plus grands, et enfin l'heure du repos pour les parents. Le lendemain on devait commencer les cabanes, attraper des papillons, pêcher à la pièce d'eau, lire, travailler, se promener; il y avait de l'occupation pour vingt-quatre heures au moins.

Les enfants étaient en vacances, et tous avaient congé; les papas et les mamans avaient déclaré que, pendant six semaines, chacun ferait ce qu'il voudrait du matin au soir, sauf deux heures réservées au travail.

Le lendemain de l'arrivée des cousins, on s'éveilla de grand matin.

Marguerite sortit sa tête de dessous sa couverture et appela Sophie, qui dormait profondément; Sophie se réveilla en sursaut et se frotta les yeux.

« Quoi? Qu'est-ce? Faut-il partir? Attends, je viens. »

En disant ces mots, elle retomba endormie sur son oreiller.

Marguerite allait recommencer, lorsque la bonne, qui couchait près d'elle, lui dit:

« Taisez-vous donc, mademoiselle Marguerite; laissez-nous dormir; il n'est pas encore cinq heures; c'est trop tôt pour se lever.

Marguerite: Dieu! Que la nuit est longue aujourd'hui! Quel ennui de dormir! »

Et, tout en songeant aux cabanes et aux plaisirs de la journée, elle aussi se rendormit.

Camille et Madeleine, éveillées depuis longtemps, attendaient patiemment que la pendule sonnât sept heures et leur permît de se lever sans déranger leur bonne, Elisa, qui, n'ayant pas de cabane à construire, dormait paisiblement.

Source: Comtesse de Ségur, *Les vacances* (ill.: Bertall).

Discussion en grand groupe

1. a) Qu'est-ce qui vous a frappés dans cette histoire? Qu'avez-vous trouvé de différent dans la façon de vivre en ce temps-là par rapport à aujourd'hui, dans les rapports des enfants entre eux et avec leurs parents?

b) Quelles différences remarquez-vous dans la manière dont les gens s'exprimaient à cette époque par rapport à aujourd'hui? Trouvez des exemples dans le texte.

Discussion en petit groupe

2. Placez-vous en équipe de trois ou quatre élèves. Choisissez une des questions suivantes et répondez-y sur la feuille qu'on vous remettra. Présentez ensuite vos réponses au reste de la classe.

a) Quels sont les personnages de cette histoire?

b) Comment les lieux sont-ils décrits?

c) À quelles activités intérieures et extérieures les enfants s'adonnent-ils? Que pensez-vous de leurs comportements envers les animaux?

d) Quels sont les mots difficiles à comprendre dans l'histoire?

Travail individuel

3. Après les présentations, remplis individuellement un tableau des principaux renseignements de ce texte. Utilise la feuille qu'on te remettra et conserve-la dans ton portfolio.

4. Aurais-tu aimé vivre à cette époque? Pourquoi? Écris ta réponse dans ton carnet en la justifiant par un ou des exemples du texte.

Projet

Mon projet personnel

Pour cette dernière unité, que dirais-tu de choisir toi-même ton projet? La seule condition est qu'il soit en lien avec les vacances ou les voyages. As-tu des idées? En voici quelques-unes:

- Organiser un salon des vacances et des voyages;

- Inventer un jeu pour faire connaître un des lieux présentés dans les extraits de cette unité;

- Présenter de façon originale et intéressante un autre roman d'un auteur ou d'une auteure de cette unité;

- Organiser une parade de mode pour présenter les différents personnages des romans de l'unité;

- Construire une maquette pour illustrer un des extraits de ton manuel (par exemple la maquette du château de Fleurville).

Voici les étapes à suivre pour réaliser ton projet.

Exploration

Individuellement, prends quelques minutes pour penser à des idées de projet. Puis, partage ces idées en grand groupe et écoute celles des autres.

Utilise le temps qui t'est donné pour réfléchir aux propositions entendues. Commence à explorer la documentation sur les sujets qui t'intéressent. Puis, fais ton choix.

Place-toi ensuite en équipe avec un ou des élèves qui ont fait le même choix que toi. Discutez du sujet choisi et déterminez le but de votre projet. Remplissez la première partie du contrat de projet qu'on vous remettra et suivez la démarche qu'on vous propose.

> Un **contrat de projet** est un outil qui vous aidera à planifier l'ensemble des éléments nécessaires à la réalisation de votre projet.

Planification

Prenez maintenant le temps de bien planifier le travail. Répartissez-vous les tâches. Faites la liste du matériel nécessaire. Notez vos renseignements dans votre contrat de projet.

Évaluez votre travail coopératif à cette étape-ci du projet en remplissant la partie *Évaluation* de votre contrat.

Puis, fixez avec votre enseignant ou enseignante un moment pour lui présenter les parties *Planification* et *Évaluation* de votre contrat.

Réalisation

Apportez votre documentation et votre matériel en classe pour réaliser votre projet. Consultez fréquemment la partie *Planification* de votre contrat pour ne rien oublier. Rappelez-vous le but poursuivi. Pensez à la façon dont vous organiserez votre présentation. Quelles parties chaque membre de l'équipe présentera-t-il ?

Remplissez la partie *Réalisation* de votre contrat de projet.

Communication

Présentez votre projet à vos camarades. Manifestez de l'enthousiasme lors de votre présentation.

Évaluation

Vous venez de réaliser votre dernier projet de l'année scolaire. Bravo ! Individuellement, remplissez maintenant la fiche d'autoévaluation à la fin de votre contrat de projet. Faites-la signer par vos coéquipiers ou coéquipières et présentez-la à votre enseignant ou enseignante. Conservez votre contrat dans votre portfolio.

Mes mots

l'ancre	l'excursion	ta valise	la voile
notre bateau	l'exposition	violet	mon voilier
une bouteille	flâner	violette	la vue
ma collection	notre guide		
une consolation	l'île		
consoler	naviguer		
la côte	ce navire		
une croisière	l'obligation		
debout	obliger		
décoller	la plage		
la distraction	une récréation		
une douche	le sable		
l'escale	surveiller		

Mes verbes conjugués

ALLER					FAIRE			
PASSÉ COMPOSÉ					PASSÉ COMPOSÉ			
			Participe passé					Participe passé
Personne	Auxiliaire	Radical	Terminaison		Personne	Auxiliaire	Radical	Terminaison
je	suis	all	é(e)		j'	ai	fait	
tu	es	all	é(e)		tu	as	fait	
il/elle	est	all	é(e)		il/elle	a	fait	
nous	sommes	all	é(e)s		nous	avons	fait	
vous	êtes	all	é(e)s		vous	avez	fait	
ils/elles	sont	all	é(e)s		ils/elles	ont	fait	

1. Observe l'orthographe des mots et trouve leur caractéristique commune.

a) côte, flâner, île

b) guide, naviguer, obligation

c) bouteille, décoller, surveiller, violette

d) douche, navire, voile, vue

e) collection, consolation, distraction, récréation

f) croisière, exposition, valise

g) obliger, plage, voyage

> Parmi les caractéristiques possibles, on trouve la présence du **e** muet en finale, le **g** doux, le **g** dur...

2. Qui suis-je ? Cherche la réponse dans ton tableau *Mes mots*. Indique aussi le genre (m. ou f.) du nom trouvé.

a) Arrêt pour embarquer ou débarquer des passagers et passagères.

b) Synonyme de *promenade* ou *randonnée*.

c) Homophone du mot *encre*.

d) Bateau muni de voiles.

e) Étendue de terre entourée d'eau.

3. Voici une devinette: «Je suis un mot invariable qui signifie le contraire de *couché* ou *assis*.» Trouve la réponse dans ton tableau *Mes mots* (p. 117).

4. Complète les phrases en utilisant les verbes *aller* et *faire* au passé composé.

a) Mes voisins ■ en vacances à la mer
et ils ■ de la planche à voile.

b) Mon frère et moi, nous ■ en randonnée
pédestre avec nos parents. Au sommet de
la montagne, nous ■ un pique-nique.

c) L'avion ■ escale à Québec avant de
s'envoler pour Sept-Îles où je ■
rencontrer mes grands-parents
pour passer les vacances estivales.

d) Ma mère ■ un voyage magnifique quand
elle ■ en croisière dans les Antilles. Elle nous
a d'ailleurs envoyé de nombreuses cartes postales.

5. Classe chacun des verbes suivants selon le moyen de transport auquel il
est associé.

a) décoller   e) trottiner   i) rouler

b) atterrir   f) dérailler   j) planer

c) naviguer   g) entrer en gare   k) courir

d) ancrer   h) couler   l) voler

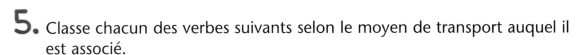

à pied	en auto	en train	en bateau	en avion

Chaque jour, des millions de lettres voyagent à travers le monde pour diverses raisons : donner des nouvelles, inviter quelqu'un, donner son opinion, etc. Lis les trois lettres suivantes pour en connaître le contenu. Quel est le but visé par chaque auteur ou auteure ? Que remarques-tu dans la présentation visuelle ?

La boîte aux lettres

Lieu de provenance Date Appel

Percé, le 5 août

Bonjour papa et maman,

Je vous écris de Percé, une petite ville de la Gaspésie. Ici, l'eau est salée. Les Percéens sont accueillants ! Demain, nous continuerons notre tournée de la région.

Hier, je suis allé marcher avec grand-maman sur la plage. Elle m'a expliqué plein de choses. Elle a dit que c'est Samuel de Champlain qui a donné le nom à la ville de Percé en 1603 à cause des deux trous qu'il y avait alors dans le gros rocher d'en face. Le rocher Percé est un attrait touristique très populaire ici.

Je me suis blessé à un doigt, mais ne vous inquiétez pas ! Cet après-midi, les pêcheurs arrivaient au port et il y avait des homards dans un grand bassin. Je ne savais pas que ça pouvait pincer aussi fort... J'ai plongé mon doigt dans l'eau pour m'amuser un peu et un homard fâché m'a agrippé avec une de ses pinces. Ça surprend ! Il paraît qu'on va manger du homard ce soir. Je ne sais pas si j'ai envie d'y goûter...

Salutation →

Grosses caresses,

Raphaël

Signature

Rivière-Brochu, le mardi 2 juillet

Chère Julie,

C'est merveilleux... Mon père a loué un chalet au bord de l'eau : pas de pollution, pas de bruit de voitures, seulement la douce musique des vagues, le chant matinal des oiseaux et l'air frais sur notre peau. Au début, je croyais que la ville me manquerait, mais j'apprécie beaucoup la nature et toutes ses surprises !

Le matin, je me lève assez tôt pour admirer le lever du soleil. Je vais cueillir des champignons avec mon père. Il m'apprend à différencier les espèces pour ne ramasser que les comestibles. Nous en avons même mangé hier soir au souper !

Je pêche presque tous les jours sur le bord des rochers. Je porte mon gilet de sauvetage, c'est plus prudent. On ne sait jamais ! Si un énorme poisson mord à ma ligne, je pourrais me retrouver à l'eau ! L'autre jour, je me suis baigné. À un moment donné, ça me chatouillait partout sur les jambes. Un banc de minuscules poissons passait et j'étais dans leur trajectoire. Tu aurais dû voir l'air sur mon visage... Il paraît que j'ai pâli à vue d'œil !

Comme tu vois, je passe de belles vacances remplies d'aventures. J'ai bien hâte de te revoir à mon retour à Montréal. Salue Sébastien et Phil pour moi.

À bientôt,

Ton ami Fred

Julie
1, rue des Érables
Montréal (Québec)
H1J 1J9

Montréal, le 12 mai

Monsieur Jean Béland
Auteur

Monsieur,

Je me nomme Sophia et je suis une élève du deuxième cycle de l'École de la paix à Trois-Rivières. Je vous écris pour vous exprimer tout le plaisir que j'ai éprouvé en lisant un de vos romans où il était question de la Baie-James.

Quelle histoire originale et captivante! J'y ai appris plein de choses intéressantes sur un coin de notre belle province, en plus de participer par l'imagination au jeu inventé par les Pisani. J'étais aussi emballée que Rémi et sa sœur à l'idée de découvrir la Baie-James au fur et à mesure que j'avançais dans ma lecture.

Enfin, tout cela pour vous dire, Monsieur, à quel point j'ai apprécié votre roman. Continuez à écrire pour nous, les jeunes, des romans qui nous divertissent tout en nous informant.

Mes meilleures salutations,

Sophia

1. a) Avez-vous déjà écrit ou reçu des lettres? Quels genres de lettres? À quelles occasions?

   b) Parmi les trois lettres présentées, laquelle préférez-vous? Pourquoi?

   c) Quelles différences avez-vous observées dans la présentation de ces lettres (intention de l'auteur ou auteure, présentation visuelle, renseignements intéressants)?

   d) Une des lettres a été écrite par un personnage de roman présenté dans cette unité. De quel personnage et de quel roman s'agit-il?

2. Dans votre carnet de lecture, notez la référence de la lettre qui vous plaît le plus et expliquez pourquoi.

À vos plumes

Une année remplie de souvenirs

Voici le moment de faire un petit bilan de ton année. Écris une lettre à ton enseignant ou enseignante pour lui faire part du souvenir le plus marquant de ton année scolaire: ton projet préféré, une situation cocasse ou ta plus grande joie.

Compose ta lettre en t'inspirant des lettres présentées dans ton manuel. Suis la démarche suivante pour t'aider.

Je planifie

Choisis le souvenir le plus marquant de l'année. Note ensuite tes idées sur l'organisateur qu'on te remettra.

Je rédige

Compose ta lettre en consultant ton organisateur. Présente ton souvenir, décris les émotions ressenties à ce moment-là et donne les raisons pour lesquelles ce souvenir est marquant. Termine ta lettre en donnant une impression globale de ton année. N'oublie pas d'apposer ta signature au bas de la lettre.

Je révise et je corrige

Relis ta lettre pour vérifier le sens des phrases. Utilise les stratégies apprises pour appliquer les règles grammaticales et corriger tes erreurs. Consulte tes outils de révision (tableaux de conjugaison, dictionnaire, manuel).

Je mets au propre

Utilise ta plus belle calligraphie pour mettre ta lettre au propre.

Je présente

Fabrique une enveloppe ou décores-en une. Insères-y ensuite ta lettre et offre-la à ton enseignant ou enseignante.

Je m'évalue

Remplis la grille d'autoévaluation qu'on te remettra.

Clés en main

Les marqueurs de relation

1. a) En équipe de deux, comparez les phrases de chaque colonne. Quelles différences remarquez-vous ?

A Au bord de l'océan, l'eau monte, **puis** se retire.

Au bord de l'océan, l'eau monte. L'eau se retire.

B L'été, en montagne, on pratique le parapente **ou** l'alpinisme.

L'été, en montagne, on pratique le parapente. On pratique l'alpinisme.

C Quelques planches à voile rappellent les vacances, **mais** déjà les jours sont plus courts **et** le soleil est moins chaud.

Quelques planches à voile rappellent les vacances. Les jours sont plus courts. Le soleil est moins chaud.

D Les randonneurs s'installent au pied d'un arbre, **car** le calme de la nature les incite au repos.

Les randonneurs s'installent au pied d'un arbre. Le calme de la nature les incite au repos.

E Le vent se lève **et** l'air se rafraîchit **parce que** l'orage n'est pas loin.

Le vent se lève. L'air se rafraîchit. L'orage n'est pas loin.

b) Les mots en caractères gras sont des marqueurs de relation. Selon vous, à quoi servent-ils ? Quand et pourquoi les utilise-t-on ?

c) Est-ce que les marqueurs de relation ont tous le même sens ? Expliquez votre réponse en donnant un exemple.

d) Comparez vos réponses en b) et en c) aux explications données dans la rubrique *Je comprends* (p. 124). Que remarquez-vous ?

2. Complétez chaque phrase à l'aide d'un des marqueurs de relation suivants: *puis, et, ou, mais, car.*

a) Je ne sais pas si je viendrai en vélo ■ à pied.

b) Ma sœur va à la pêche, ■ je ne peux pas l'accompagner.

c) Tu passeras me chercher, ■ nous irons au cinéma.

d) Le pique-nique est remis à dimanche, ■ il pleut aujourd'hui.

e) Ma sœur a construit un château de sable avec un seau ■ une pelle.

3. Formez une seule phrase à partir des deux phrases données. Utilisez le marqueur *car* ou *mais* pour vous aider.

a) Nous nous dépêchons de rentrer à la maison. Il pleut.

b) Je n'ai plus très faim. Je reprendrais du gâteau par gourmandise.

4. Composez quelques phrases pour parler de vos vacances d'été. Utilisez des marqueurs de relation dans chaque phrase. Soulignez-les.

Je comprends | **Les marqueurs de relation**

Les marqueurs de relation servent à établir un lien entre deux éléments qu'ils réunissent (des groupes du nom, des groupes du verbe, des adjectifs, des phrases), mais ils n'ont pas tous le même sens. Ils peuvent indiquer:

- un choix.
  Ex.: On pratique le parapente **ou** l'alpinisme.

- une addition ou une succession d'actions.
  Ex.: L'air est lourd **et** chaud.
  J'irai au cinéma, **puis** je retournerai chez moi.

- une cause.
  Ex.: Le vent se lève **parce que** l'orage n'est pas loin.
  Le vent se lève, **car** l'orage n'est pas loin.

- une opposition ou une restriction.
  Ex.: J'aime la natation, **mais** je déteste me baigner dans un lac.

Les parents de Rémi et d'Émilie sont partis quelques jours à la Baie-James. Connais-tu ce coin de province? Eh bien! Rémi et Émilie, eux, le découvriront grâce aux voisins, les Pisani, chez qui ils se feront garder.

Comment Alberto et Marina Pisani s'y prendront-ils pour leur faire connaître la Baie-James? Lis ce texte avec attention pour le découvrir et pour pouvoir prendre part à la discussion en grand groupe qui suivra.

La Baie-James des « Pissenlit »

J'ai plutôt mal dormi. Avec toutes les histoires de la veille, les crises de Mimi, mes parents bloqués à l'aéroport et tout le tralala, j'ai eu de la difficulté à retrouver mon calme.

– J'ai faim! dit mon petit frère, en pirouettant sur le matelas qui nous sert de lit.

Je regarde ma montre: six heures quarante. L'heure habituelle du réveil pour notre petit oiseau matinal maison. Dans la pièce à côté, j'entends un bruit de pas. Sûrement Alberto, vu que Marina, à cause de son poids, fait craquer le plancher.

– J'ai faim, moi! insiste mon petit frère.

Je préférerais traîner encore un peu au lit et peut-être même m'endormir de nouveau. Mais mon frangin ne va pas capituler si facilement. Et puis l'envie du matin… Alors, on se lève et on sort de la chambre. Derrière la porte, une surprise nous attend.

– Bonjour, les amis, dit Alberto joyeusement.

Il est méconnaissable. Chaussé de lourdes bottes de travail, il porte une chemise à carreaux. Son pantalon foncé est retenu par une large ceinture à pochettes, comme celles des menuisiers. Un casque de sécurité lui couvre le crâne.

Faisant un pas en arrière et s'étirant le bras, il saisit deux autres casques tout à fait semblables au sien: le premier pour moi, qui me va parfaitement;

l'autre pour mon frérot, un peu trop grand. À son sourire, je vois qu'il ne serait pas plus heureux s'il était couronné roi de l'univers…

– Je vous propose un jeu, dit monsieur Pisani. Le jeu de la Baie-James!

– On applaudit! lance Rémi, joignant aussitôt le geste à la parole.

Dans mes yeux, Alberto voit que je suis aussi très intéressée. Satisfait, il s'avance au milieu de la cuisine et poursuit:

– Ici, nous sommes à Montréal, la grande ville, où on peut trouver tout ce qu'il faut pour développer le territoire de la Baie-James: des avions, des camions, des machines, des outils, des matériaux, de la nourriture, tout…! Sans oublier les personnes aussi, comme les ouvriers, les cuisiniers, les opérateurs de machinerie lourde, les chauffeurs de camions, les ingénieurs…

– Moi, je veux être chauffeur de camion, coupe Rémi.

– D'accord! Mais avant, il faut explorer les lieux, décider de l'emplacement des travaux, construire des camps temporaires et organiser le chantier. Si tu veux, je serai chef ingénieur. Et toi, tu seras mon adjoint. Rémi Choquette, ingénieur adjoint! Ça te plaît?

– Oui! Oui! Ingénieur a… joint, répète mon frère, souriant de tous ses yeux sous la visière de son casque. On applaudit!

– Vous voyez, continue Alberto, on trouve des tas de choses à Montréal.

La cuisine, en effet, est très encombrée. Toutes sortes d'objets sont entassés un peu partout, depuis les sacs à ordures jusqu'aux bâtonnets de bois, en passant par une énorme boîte de blocs [...], des cartons, du papier de construction et quoi encore? Dans un coin, les véhicules miniatures reposent au fond de la vieille malle ouverte.

– Ici, dit-il en nous entraînant dans la salle à manger, nous sommes à Val-d'Or. La ville est située à mi-chemin entre Montréal et ce qui deviendra Radisson, plus tard, au cœur du territoire de la Baie-James. La ville est plus petite, mais on y trouve aussi beaucoup de matériel dont on aura besoin. Et voilà Matagami, poursuit-il en désignant la salle de bain. C'est une ville minière. Une toute petite ville. Ce sera la porte vers la Baie-James, parce que c'est à partir de là qu'on transportera tout le matériel ainsi que les travailleurs. Tu comprends, mon adjoint?

– Oui! Oui! La Baie-James! répond Mimi avec beaucoup d'enthousiasme.

Monsieur Pisani se tourne enfin vers le salon. La pièce est méconnaissable. Tous les meubles ont été poussés le long d'un mur, laissant un grand espace vide. Seul le chevalier n'a pas bougé. Par terre, de grands cartons blancs, soigneusement étendus, sont collés les uns aux autres avec du ruban adhésif. Le tout forme une sorte de tapis sur lequel notre ingénieur a tracé des lignes. Des lisières de papier bleu sont disposées sur le carton, indiquant le cours des rivières.

– Là, dit-il en pointant du doigt l'aquarium déménagé à l'extrémité gauche du couvre-sol, nous avons de l'eau, beaucoup d'eau. C'est la baie James, une sorte d'anse à l'intérieur d'une baie encore plus vaste: la baie d'Hudson. Regardez, ici, sur le globe terrestre.

– Bonjour, tout le monde! lance Marina. Mais qu'est-ce qui se passe ici?

Elle est démaquillée et drapée dans une robe de chambre noire. Elle sort du lit.

– J'ai mis en place un grand jeu, dit le mari, le jeu de la Baie-James. Nous allons revivre l'aventure depuis les débuts, tu comprends? En ce moment, nous sommes en 1965. Rien n'a changé depuis des millénaires dans ce territoire. Mais, attention! on arrive.

– Quelle excellente idée, Alberto! s'exclame-t-elle.

– Tu peux participer, toi aussi, si tu veux.

– Bien sûr! Je n'y manquerai pas. La Baie-James, quels souvenirs!

L'homme sourit. Il semble heureux. De son œil, il nous regarde un à un.

– Nous commençons le développement de la Baie-James tout de suite après le déjeuner, décrète-t-il. Venez, les enfants, allons manger.

– Pas faim! dit Rémi.

Tour à tour, Alberto, Marina et moi, nous essayons de le convaincre de passer à table. Rien à faire! Le petit est trop attiré par le jeu mis en place. On a beau lui offrir tout ce qu'il aime, du lait au chocolat, un muffin, un croissant, du fromage, des céréales qui chantent… Nenni! C'est alors que madame Pisani a un éclair de génie.

– Prendrais-tu un peu de spaghetti ? lui propose-t-elle.

– Oui ! Du spaghetti ! Oui ! Je veux du spaghetti !

Il était temps. Moi, je meurs de faim et je commençais à m'impatienter.

Source : Jean Béland, *La Baie-James des « Pissenlit »*, p. 45-51.
© Éditions Pierre Tisseyre (coll. Papillon), 2000.

Discussion en grand groupe

1. Est-ce qu'une histoire semblable peut se produire dans la réalité ? Expliquez votre réponse.

2. Que pensez-vous des personnages de ce roman ? Comment les trouvez-vous ?

3. À quoi ou à qui cette histoire vous fait-elle penser ?

4. Cette histoire ressemble-t-elle à d'autres histoires que vous avez entendues ou lues ? Lesquelles ?

Travail en équipe

5. En équipe de deux, répondez aux questions suivantes sur la feuille qu'on vous remettra :

a) Comment imaginez-vous la maison des Pisani depuis que ces derniers ont eu l'idée d'inventer le jeu de la Baie-James ?

b) Où se trouve la baie James sur une carte du Québec ?

c) Où se trouve la baie James dans la maison des Pisani ?

Travail individuel

6. Ajoute les renseignements de cet extrait de roman dans le tableau *Souvenirs de vacances* (document reproductible R3). Puis, replace ta feuille dans ton portfolio.

7. Choisis une partie du texte que tu as aimée. Copie-la dans ton carnet de lecture et explique ton choix. Note bien la source du texte.

La culture, c'est comme les confitures...

Allô grand-maman,

Je suis contente de constater que tu viens de te brancher sur Internet! On va pouvoir se parler encore plus souvent! Tu vas voir, le cyberespace, c'est un autre monde. On peut y voyager, lire et écrire. C'est extraordinaire!

Moi, depuis que j'ai mon ordinateur, je communique avec des tas d'amis! Tu te rappelles Annie, mon amie d'enfance que je voyais moins parce qu'elle est déménagée? Eh bien! je lui parle souvent par courriel! Et Camille, que j'ai rencontrée l'an dernier en vacances. Même chose! Et quand Félix est chez sa mère, on peut s'aider dans nos devoirs. Sans Internet, je ne pourrais pas garder autant le contact.

En plus, ça me permet d'écrire. Maman dit souvent qu'avant Internet les gens ne s'écrivaient presque plus. On correspondait moins, on envoyait moins de cartes de souhaits. Je me demande bien pourquoi cette habitude s'est perdue. Je trouve tellement agréable de prendre des nouvelles de tous ceux que je connais! J'aime ça, écrire! Peut-être qu'un jour, je deviendrai une grande écrivaine...

Alors, à bientôt!

Sarah xxx

Bonjour de grand-maman

Envoyer | Envoyer plus tard | | |

De : _____ ⬍

📧 À : @Sarah
📧 Cc :
📧 Cci :

Objet : Bonjour de grand-maman

▷ Pièces jointes : Écrivains et écrivaines célèbres

ab→ab | _____ ⬍ | _____ ⬍ | G I S T ≣

Chère Sarah, ma petite écrivaine adorée,

Ta mère a raison: avant Internet, les gens s'écrivaient moins. Moi, quand j'étais petite, je correspondais avec mon amoureux, ton grand-père. Nous échangions de longues lettres. C'est un très beau souvenir! Quel plaisir de recevoir une lettre de quelqu'un qu'on aime! La comtesse de Ségur, une écrivaine bien connue ayant écrit dans les années 1800, avait aussi l'habitude d'écrire à ses amoureux.

En songeant à la comtesse, je me suis demandé ce qui poussait les écrivains et écrivaines à écrire. J'ai fait une petite recherche dans Internet (pas mal, n'est-ce pas?) et j'ai trouvé plein de renseignements intéressants. Je joins ces documents à mon message. On en reparlera samedi, lors de ta visite chez moi.

Grand-maman XXX

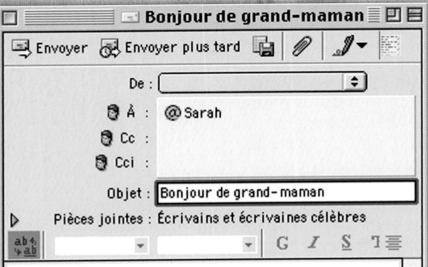

La **comtesse de Ségur**, auteure de dizaines de romans, est née à Saint-Pétersbourg (Russie) en 1799. Elle s'appelait Sophie Rostopchine avant d'épouser, en 1819, le comte Eugène de Ségur. Elle vivra au château des Nouettes en France. C'est là que la plupart de ses enfants naîtront. C'est là également que ses petits-enfants préféreront passer leurs vacances. Ses premiers romans ont été écrits alors qu'elle était grand-mère! Elle écrivait, d'ailleurs, pour ses petits-enfants. Son but était de dédier un livre à chacun d'eux.

Certaines personnes ont le goût d'écrire parce que leur vie est différente ou difficile, ou parce qu'elles se sentent seules. **Zlata Filipovic** a commencé à écrire pour toutes ces raisons en même temps. En 1991, Zlata a onze ans et la guerre vient d'éclater dans son pays. La ville où elle habite, Sarajevo, sera détruite. Pour survivre à tout cela, Zlata tiendra son journal et lui confiera tout: sa peur, sa colère et son incompréhension. Son journal sera publié en 1993. C'est une très belle œuvre, même si elle parle de choses tristes. Elle se termine sur une note d'espoir, un trait de lumière, un rayon de soleil...

Dominique Demers, une écrivaine québécoise adorée du public, avoue avoir été entraînée dans le monde de l'écriture par la voix de sa mère (qui lui lisait des histoires quand elle était enfant), puis par celle de sa grand-mère. «Parfois, dit-elle, mes parents sortaient et c'est ma grand-mère qui devait garder les quatre enfants de la famille. Grand-mère nous faisait alors tous asseoir dans le même lit et nous racontait, sans qu'on puisse regarder dans le livre, les contes de Perrault, *La Belle et la Bête*, *Le Petit Poucet*… C'était féerique!» C'était tellement bien raconté que la petite Dominique a longtemps cru que sa grand-mère était la vraie auteure de toutes ces histoires!

À 11 ans, **Jules Verne** ne rêve déjà que de voyages et d'aventures. Son père, lui, veut qu'il lui succède dans son cabinet d'avocat. Ainsi, à 21 ans, lorsqu'il arrive à Paris pour y poursuivre ses études de droit (pour devenir avocat), Jules oublie tout simplement d'aller à ses cours…

Après s'être exercé au métier d'écrivain en rédigeant des chansons, des pièces de théâtre et des poèmes, il trouve enfin sa voie. Il s'enferme à la Bibliothèque nationale pour étudier les dernières découvertes: les chemins de fer, l'électricité, le télégraphe, le téléphone, les ballons dirigeables… Il va faire découvrir la science aux jeunes à travers des romans palpitants. À partir des inventions de son siècle, il va donc créer dans ses livres un nouveau monde à peine imaginable. Ces œuvres, il les appelle «romans de la science». La science-fiction vient de naître.

Qui ne connaît pas **Joanne Kathleen Rowling**, celle qui a donné vie au célèbre Harry Potter? Cette auteure anglaise aurait créé son personnage en attendant un train dans une gare! Ce jour-là, plutôt que de perdre son temps à guetter l'arrivée du train, elle imagine l'histoire d'un petit garçon qui avait aussi un train à prendre: le quai 9 3/4 était né! J.K. Rowling, qui était professeure d'anglais, rêvait depuis longtemps de devenir écrivaine. Toute petite (elle n'avait alors que six ans!), elle écrivait des histoires… en se disant qu'un jour elle les ferait publier. Il lui a fallu de nombreuses années avant de voir son rêve se réaliser. D'ailleurs, son histoire de sorcier mal aimé a tout d'abord été refusée par un éditeur… avant de connaître le succès que l'on connaît.

En 1916, une jeune femme anglaise du nom d'**Agatha Christie** travaille dans un hôpital. Son mari est parti à la guerre. Pendant que ses amies font de la broderie, elle, pour s'amuser, invente des crimes et fabrique des assassins! Elle deviendra une très célèbre auteure de romans policiers.

Agatha Christie aurait été poussée vers l'écriture par sa sœur Madge. Celle-ci prétendait qu'il était impossible d'écrire un roman policier dans lequel le lecteur ou la lectrice ne devine pas qui commet le meurtre. La jeune Agatha, alors infirmière, décida de relever le défi et écrivit son premier roman. Elle le fit parvenir à un éditeur, mais il fut d'abord refusé. Quelques années plus tard, elle reçut une lettre l'informant que l'on désirait publier son roman. Elle en écrira ensuite plus de 80, dont plusieurs chefs-d'œuvre de la littérature policière. Diffusée à travers le monde à plus de deux milliards d'exemplaires, son œuvre a été traduite dans une cinquantaine de langues!

Envoyer Envoyer plus tard

De :

À : @ grand-maman

Objet : Un petit mot

Pièces jointes : *Aucune*

G *I* S T

Allô grand-maman,

Pendant les prochaines vacances, Félix et moi avons décidé d'écrire ensemble toutes nos aventures. On a déjà plusieurs sujets : «Notre bizarre nouvelle voisine», «Mon chat est-il un extraterrestre?» ou «L'inconnu de la plage».

En attendant, on continue à s'écrire!
L'écriture, c'est comme les confitures :
on en a toujours besoin!

À bientôt!

Félix et Sarah

xoxox

Clés en main

Orthographe et conjugaison

Document reproductible 10

Mes mots

accrocher	une framboise	leur mangeoire	ton parrain
ancien	sa grand-maman	une mare	un pinson
ancienne	ta grand-mère	ma marraine	sale
un campeur	son grand-papa	ce papillon	salir
une campeuse	ton grand-père	du parfum	la sortie
le camping	l'hirondelle		
son canif	cet insecte		
ma casquette	du lilas		
un coffre	long		
une corneille	longue		
cette couleuvre	luisant		
mon fils	luisante		

Mes verbes conjugués

ALLER		FAIRE	
IMPÉRATIF		**IMPÉRATIF**	
Radical	Terminaison	Radical	Terminaison
va		fai	s
all	ons	fais	ons
all	ez	fait	es

1. Qui suis-je? Faites le travail en équipe de deux.

a) Nom féminin désignant un petit fruit rouge produit par le framboisier.

b) Nom féminin de la même famille que *manger*.

c) Nom féminin commençant par un *h* muet et désignant un oiseau migrateur.

d) Adjectif masculin contenant un *c* qui se prononce comme un *s*.

e) Nom féminin désignant un petit serpent non venimeux.

f) Nom féminin contenant des consonnes doubles et désignant un oiseau noir.

g) Nom féminin de la même famille que *casque* et contenant des consonnes doubles.

h) Nom féminin contenant un *m* devant le *p*.

i) Adjectif homophone du nom *salle*.

j) Verbe qui se conjugue comme *aimer* et qui contient des consonnes doubles.

> Toutes les réponses des numéros 1, 2 et 3 se trouvent dans le tableau **Mes Mots**.

k) Nom masculin désignant un petit animal qu'on appelle aussi *bestiole*.

l) Nom masculin se terminant par un *s* muet et désignant un arbuste aux fleurs très parfumées.

m) Nom masculin contenant des consonnes doubles et désignant un insecte que les enfants aiment chasser et collectionner.

n) Nom masculin qui s'écrit comme il se prononce et qui désigne un oiseau qui chante bien.

o) Nom féminin de quatre lettres se terminant par un *e* muet et désignant une petite nappe d'eau.

p) Adjectif masculin contenant un *s* qui se prononce comme un *z*.

q) Adjectif masculin de *longue*.

r) Nom masculin de quatre lettres désignant le garçon de son père.

s) Nom masculin de la même famille que *parfumer*.

t) Nom masculin désignant un contenant parfois rempli de trésors.

u) Nom masculin qui s'écrit comme il se prononce et qui désigne un petit couteau de poche.

v) Nom féminin de la même famille que *sortir*.

w) Verbe qui se conjugue comme *finir* et qui s'écrit comme il se prononce.

2. Classez les mots du tableau *Mes Mots* qui n'ont pas été utilisés au numéro 1 dans un tableau comme celui-ci :

Mots composés de deux mots	Adjectifs	Noms avec un *m* devant le *p*	Noms avec des consonnes doubles

3. Complétez chaque expression. Associez-y une des définitions données.

a) Bayer aux ■.

b) Être paresseux comme une ■.

c) Avoir des ■ dans l'estomac.

Ⓐ Rêvasser, perdre son temps.

Ⓑ Être nerveux.

Ⓒ Refuser l'effort.

Je lis, tu lis, nous lisons...

Dans les extraits suivants, on te présente les aventures de vacances de différents personnages de ton âge. Lis-les d'abord pour le plaisir en t'imaginant les actions qui s'y déroulent. Fais des liens avec tes souvenirs de vacances. Puis, discute de ta lecture. Choisis ensuite l'extrait que tu préfères pour faire les tâches demandées à la page 144.

Des bleuets dans mes lunettes

Petite est une fillette à lunettes qui croit que personne ne l'aime. Comme chaque année depuis qu'elle est toute jeune, elle passe une partie de l'été chez sa grand-mère, au Nouveau-Brunswick, en compagnie de ses cinq cousins, qu'elle surnomme les ogrins.

Au fond, Mathieu, c'est le moins pire des ogrins. Il a seulement sept ans, il a les oreilles décollées comme c'est pas possible, il a peur de tout, il est souvent dans la lune, mais il adore les bestioles. Faut croire que sa lune à lui, elle doit être couverte de bestioles phosphorescentes. Et puis il adore me tenir la main pour chasser les papillons.

Je crois bien que quand je ne suis pas là (et mes lunettes non plus), c'est à Mathieu et à ses grandes oreilles que les ogrins font la vie dure.

Là, je suis prête pour aller chasser les papillons. Mathieu m'attend derrière la grange avec son filet. Dans la cuisine, ça sent les biscuits qui cuisent, qui sont déjà presque dorés: grand-maman est championne en biscuits toutes catégories! Par la fenêtre ouverte, on entend le bruit des mouches et des oiseaux, on pourrait presque entendre le bruit du soleil tellement il brille fort.

Sur le perron, il y a le gros chat jaune sans nom et Babine, le chien de grand-maman. Des fois, on pourrait croire que c'est un chien magique. Son poil est frisé, tout noir, et il est à peine un peu moins grand qu'un chien policier. Pourtant, sa mère, Binne, était une vraie de vraie chienne saucisse, au moins quatre fois plus petite que lui. C'est à n'y rien comprendre…

Mais on dirait qu'ici, sur l'île de grand-maman, des choses comme celle-là peuvent arriver. En plus, tout le monde a l'air de trouver ça normal. Enfin!

J'appelle Mathieu, qui rit et qui met un doigt sur ses lèvres: il s'est sauvé de ses frères pour être avec moi. Peut-être qu'il est moins peureux qu'avant… Il me prend la main et on court comme des fous dans le champ de fleurs de n'importe quelle couleur. À chacun de nos pas, les sauterelles s'envolent dans toutes les directions. Sans le vouloir, Mathieu en emprisonne une dans son filet. Ça nous fait rire parce qu'elle semble trop nounoune pour savoir où est la sortie.

Je m'arrête pour tendre un doigt à une coccinelle orange. Elle l'explore un peu, puis ouvre ses petites ailes rondes. Comment peut-on voler avec des ailes aussi minuscules? Encore un mystère. On se remet à courir, plus vite, toujours plus vite, on oublie d'attraper les papillons et les herbes hautes chatouillent nos genoux.

Nous voilà au fond du champ, là où il y a plein de bleuets. Là où on peut jouer au pharaon des bleuets.

Le pharaon, c'est celui qui se couche par terre et qui regarde le ciel et les bestioles. Il peut aussi mordiller un brin d'herbe ou chanter une petite chanson. L'autre, le serviteur, cueille des bleuets le plus vite possible, jusqu'à ce que sa main en déborde. Le pharaon ferme alors les yeux et le serviteur verse tous les bleuets dans sa bouche. Miam-miam…

Ensuite le serviteur devient pharaon et vice versa. Pas mal. Surtout quand c'est à mon tour d'être la pharaonne. Je ferme les yeux et j'ai le fou rire, avec tous ces bleuets qui glissent dans ma bouche ou qui tombent sur mes joues.

– Hé les amoureux! On joue au pharaon en cachette!

AH NON! Pas les ogrins!

– On n'est pas amoureux, voyons! dit Mathieu en se relevant. Tu sais bien que Petite est notre cousine.

– Tiens! Mathieu-les-oreilles qui défend sa Petite-à-lunettes! se moque son frère Simon.

– Je ne m'appelle pas la Petite-à-lunettes, bon!

– Ah non? C'est peut-être parce que tu ne vois plus rien à travers tes barniques! Elles sont pleines de bleuets écrapoutis!

– Voyons Simon, laisse-les tranquilles…

C'est François, le plus grand des ogrins, qui a dit ça. Il me pince la joue (pour un ogrin, ça doit être un geste gentil), puis ajoute :

– Essuie tes lunettes, Petite, on s'en va se promener dans le bois. Et puis demain, on va aller à Cap-Bateau. On va se baigner, maman me l'a promis !

– Misère ! laisse échapper Mathieu, les yeux tout ronds de peur.

Cap-Bateau, c'est un endroit fantastique. Il y a la mer et les vagues, de gros rochers de toutes les formes, il y a des cavernes, des dizaines de petites plages désertes, des algues géantes… Mais Mathieu a peur de l'eau et des vagues mousseuses, il en a peur comme c'est pas possible. Moi, je le comprends un peu, parce que depuis que j'ai vu un film avec une petite fille qui, grâce à son chien, a été sauvée d'un incendie… Bien quoi ? Je n'ai pas de chien, moi !

Tout de même, une petite vague sur le bout d'un orteil n'a jamais fait de mal à personne. Surtout pas aux quatre frères ogrins.

François-l'asperge, celui qui a un cou de girafe avec une pomme d'Adam grosse comme un pamplemousse ;

Simon-le-scrogneugneu, celui qui chiale tout le temps et qui aime bien rire de mes lunettes ;

Zérémi-le-zozoteur, celui qui porte tout à fait bien son nom ;

Carl-carotte, celui qui a les cheveux roux, les joues picotées et qui rit toujours des mauvaises blagues de Simon-le-scrogneugneu.

Ce n'est pas moi qui les ai inventés ces noms-là, ce sont les ogrins eux-mêmes ! À part celui de Simon, qui a été imaginé par mon père bien sûr…

Mathieu, lui, dit qu'il est habitué à se faire appeler Mathieu-les-oreilles. Il dit que c'est juste une taquinerie et que les taquineries, c'est pour rire. Moi, les taquineries, je déteste ça. Surtout quand ça parle de moi. Surtout quand ça parle de mes affreuses lunettes ! Ils pourraient m'appeler par mon vrai nom. Après tout, ils sont seulement mes cousins, pas mes amis…

François

Simon

Jérémi

Carl

Source : Lucie Papineau, *Des bleuets dans mes lunettes*, p. 29-35. © Les Éditions du Boréal, 1992.

Le rôdeur des plages

Un peu malgré lui, Fred quitte la ville pour aller rejoindre son père qu'il ne voit plus très souvent depuis le divorce de ses parents. Il laisse donc ses amis Sébastien, Phil et la jolie Julie pour aller passer une partie de ses vacances d'été près de Sept-Îles, où son père a loué un chalet sur le bord de l'eau.

Voilà maintenant quatre jours que Fred et Antoine sont installés à Rivière-Brochu. Si le père s'y plaît beaucoup, son fils, lui, s'ennuie ferme. Ce matin-là, allongé sur la plage, il passe le temps en lançant en l'air une balle de baseball qu'il rattrape avec son gant.

« Ça, c'est bien des vacances d'adulte ! » pense-t-il en écoutant les vagues s'écraser sur la plage avec un flouch-flouch monotone. À côté de lui, étendu sur une grande serviette de plage rose, Antoine lit un roman de l'épaisseur d'un dictionnaire.

« Lire, marcher sur la plage, discuter, ramasser du bois pour le feu, passer des heures à préparer des repas bizarres avec des crevettes et des artichauts, se reposer, je n'appelle pas ça des vacances ! Les vacances, c'est fait pour jouer avec ses amis dans la ruelle, faire des expéditions en vélo sur le mont Royal, jouer au baseball avec le meilleur club du quartier, se baigner à la piscine du parc, aller voir un match des Expos au Stade olympique. Bref, les vacances, c'est fait pour s'amuser ! Il n'y a personne avec qui jouer, ici. Je n'ai pas vu un seul autre jeune à des kilomètres à la ronde ! Et jouer à quoi d'ailleurs ? L'eau est trop froide pour se baigner, il n'y a rien à faire sur la plage, et la forêt est infestée de mouches noires qui vous piquent jusqu'au sang. Dans le chalet, c'est pas mieux ! Pas de télévision, seulement un petit poste de radio qui syntonise de peine et de misère deux stations endormantes. Heureusement que j'ai apporté mon baladeur et mes cassettes avec moi ! »

Antoine dépose son livre et pousse un long soupir de satisfaction.

– Ah Fred ! La vie est belle, n'est-ce pas ?

– Mm-mm.

– Ça fait du bien de se détendre un peu !

– Tu ne veux pas venir jouer au baseball avec moi, papa? On pourrait se servir d'un bout de bois comme bâton…

– Écoute Fred, j'ai passé l'âge de courir après des balles sur la plage…

La conversation est interrompue par le bruit du moteur de leur voisin, qui revient de la pêche. La chaloupe vient lentement s'échouer sur la grève. Antoine s'approche de monsieur Lizotte en souriant.

– Bonjour! Vous avez besoin d'un coup de main?

Sans répondre, monsieur Lizotte tourne le dos à Antoine et amarre son bateau avec un gros câble. Vexé, Antoine se laisse retomber sur sa serviette en marmonnant entre ses dents:

– C'est un vieux malcommode, je l'avais bien dit!

Monsieur Lizotte jette un regard glacial à ses voisins et tourne les talons.

***

Le soir après souper, c'est l'heure du feu, le seul moment de la journée que Fred apprécie vraiment. Au coucher du soleil, Antoine et lui descendent sur la plage et, avec de longues allumettes en bois, mettent le feu aux brindilles et aux bûches qu'ils ont ramassées pendant l'après-midi.

Bien emmitouflés dans une chaude couverture de laine, le père et le fils se laissent envelopper par la chaleur du feu. Assis sur une longue bûche plate, Fred passe des heures à regarder les flammes rouges et or danser autour des grosses billes de bois. […]

Ce matin, un fort vent du nord et une pluie fine balaient la plage. Devant l'abri, la chaloupe blanche de monsieur Lizotte est attachée à sa corde, comme un chien à sa laisse. De la fenêtre de la cuisine, Fred observe son père qui revient de chez leur voisin, courbé sous la tempête. Antoine entre en secouant la tête.

– Quel temps de cochon!

– Et puis? demande anxieusement Fred. Qu'est-ce qu'il a dit?

– Bien… rien du tout. Il n'a même pas voulu m'ouvrir la porte.

– Quoi?

– J'ai frappé pendant deux bonnes minutes. À la fin, il est venu à la porte me chasser. Je t'avais bien dit qu'il vaut mieux le laisser tranquille. Il veut rester seul, Fred, c'est son droit.

– Personne ne veut rester seul pendant des années. Je vais aller lui parler, moi! s'exclame Fred, les yeux brillants. On verra bien!

Antoine n'essaie même pas d'arrêter son fils, qui enfile déjà son imperméable. Ça ne servirait à rien.

Sa casquette bleue des Hirondelles enfoncée sur les yeux, Fred sort affronter le mauvais temps et le mauvais caractère de monsieur Lizotte.

***

Pendant de longues minutes, Fred a frappé rageusement à la porte, sans résultat. Oubliant les bonnes manières, il est entré sans attendre qu'on vienne lui ouvrir. Si monsieur Lizotte est visiblement surpris par cette irruption, Fred, pour sa part, est complètement renversé par le spectacle qui s'offre à ses yeux: le chalet de monsieur Lizotte ressemble à un musée!

Partout sur les murs sont accrochées des photographies couleurs de dizaines d'espèces de baleines. Des modèles réduits de cétacés de toutes les tailles et de toutes les couleurs s'entassent les uns sur les autres sur de longues étagères, sur le rebord des fenêtres, devant monsieur Lizotte attablé dans la cuisine. Pour couronner le tout, une réplique de baleine bleue d'une dizaine de pieds de longueur pend au plafond du salon, la gueule entrouverte et remplie de curieux filaments. Fred n'a jamais rien vu de semblable. Il reste là, les yeux fixés sur la baleine bleue, comme s'il s'attendait à la voir fondre sur lui.

Le premier, monsieur Lizotte se remet de sa surprise.

– Qu'est-ce que tu fais ici, toi, petit bon à rien? Depuis quand entre-t-on chez les gens sans y être invité? Sors d'ici!

Mais Fred n'écoute pas. Un long sifflement d'admiration lui échappe.

– Wow!!! C'est vraiment super chez vous, monsieur Lizotte!

Monsieur Lizotte le regarde avec étonnement. Les rares personnes qu'il a accueillies chez lui ont été unanimes à le croire fou. C'est pourquoi il vit maintenant retiré du monde. Et voilà que ce curieux petit bonhomme semble partager tout naturellement son enthousiasme!

Source: Jean Pelletier, *Le rôdeur des plages*,
p. 18-21, 57-61. © Éditions Michel Quintin, 1993.

Châteaux de sable

Vers la fin de l'été, un groupe d'amis profite des dernières belles journées de vacances pour déambuler sur la plage de Cap-aux-Meules, aux Îles-de-la-Madeleine, afin de trouver des trésors qui garniront leur dernier château de sable.

Depuis que les touristes sont repartis, l'immense plage de *La Martinique* est presque déserte. Une petite bande d'enfants savourant les dernières belles journées de l'été s'y affaire. Aussitôt les bicyclettes couchées dans les foins de dune, ils prennent d'assaut un coin de sable blond, traçant, avec des bâtons, les limites symboliques de leur territoire inventé.

Ils ont décidé de construire ensemble, pendant qu'il est encore temps, le dernier château des vacances. Un immense complexe avec tours, donjons et passerelles, tout en sable, coquillages et débris de bois.

Ils sont cinq garçons, dont Simon Cormier. Pas de filles. La troupe prétend uniformément que les filles ne savent pas jouer comme il faut, ni rouler à vélo assez vite, ni… faire plein d'autres choses épatantes.

En quelques minutes, on répartit les tâches, on discute, on se chamaille un peu, puis, avec l'ardeur des grands bâtisseurs, on se met au travail.

— Regarde ma tour comme elle est haute. Il faudrait bien un drapeau, non?

— Moi, je fais la palissade avec un pont-levis, comme dans les vrais châteaux!

— Et moi, ici, je vais faire la rampe de lancement pour les fusées! s'écrie avec enthousiasme Daniel, le petit blond.

— Idiot! fait Luc, le plus grand et le plus costaud. Il n'y avait pas de fusées dans ce temps-là.

— Quel temps? dit l'interpellé d'un ton indigné.

— Le temps des châteaux forts et des chevaliers, répond Luc, très documenté par la lecture de romans d'aventures fantastiques.

Soudain, Simon, qui creusait une douve autour de son bâtiment, trouve une petite grille en plastique et il exulte:

– Hé! les gars, regardez ça. Ça va faire la grille du cachot!

Aussitôt, les deux qui se chamaillaient oublient leur différend pour annoncer:

– Allons chercher des bois d'épave…

– … et des pinces de crabe… pour les toits.

– Et des plumes pour le drapeau!

Abandonnant leurs constructions, les gamins s'élancent dans toutes les directions. Le bord de mer offre un terrain idéal pour la cueillette de matériel de tout genre: cailloux, cordages, carcasses de crustacés, casiers à homards désarticulés, filets, bouchons, éléments de la vie des pêcheurs que la vague crache sur les plages. Et ces enfants, aux yeux perçants et à l'imagination débordante, savent merveilleusement les utiliser, mélangeant allègrement le moyen-âge, le *far-west* légendaire et le monde des voyages interplanétaires.

Ils s'éparpillent bruyamment sur la plage, sur les buttes et même dans l'eau jusqu'aux genoux, car quelqu'un a mentionné, un jour, que les galets les plus jolis, les plus colorés, certains même troués comme des fromages, se trouvent surtout au point de ressac.

C'est Simon Cormier qui va le plus loin. Presque jusqu'au bout de la plage, là où commencent les rochers rouges. Les bras chargés de toutes sortes de trésors, il s'apprête à retourner vers ses amis quand il aperçoit une forme sur le sable. Une tache claire dans le soleil. Intérieurement, il s'étonne de ne pas l'avoir remarquée avant.

Puis, intrigué, il s'approche sur le sable mouillé pour faire le moins de bruit possible. Petit à petit, il reconnaît la forme de quelqu'un qui est accroupi sur la plage. «Un baigneur, encore? songe-t-il. C'est bien le dernier des derniers.»

Plus il s'approche, moins il reconnaît. Et puis, tout d'un coup, la forme se relève et un visage se tourne vers lui.

Marjolaine Turbide! Il l'a reconnue aussitôt. Ah! oui, c'est bien elle, avec ses cheveux fous et son air triste. Mais qu'est-ce qu'elle fait ici? songe Simon, qui n'est pas plus heureux qu'il ne faut de cette rencontre. Une fille qui vient les espionner? Mais ce n'est pas pour cette raison que Simon se sent un peu mal à l'aise en avançant sur le sable.

Arrivé à quelques pas d'elle, Simon constate que Marjolaine est en train de construire quelque chose avec le sable. En effet, un grand navire se dresse déjà. Un navire un peu bizarre. Marjolaine regarde Simon s'avancer sans faire un geste.

– Que fais-tu? lui demande le garçon, mal à l'aise.

Marjolaine le regarde sans répondre puis, haussant les épaules, elle se remet au travail, alignant des coquillages tout autour de la coque.

Simon ne sait plus s'il doit s'arrêter ou passer son chemin. Il ne se décide pas à parler. Mais c'est si difficile parfois de trouver le mot qu'il faut.

– Nous, on fait un grand château là-bas. Tu viendras voir… après, hasarde enfin Simon d'une voix hésitante qui se voudrait naturelle.

Marjolaine a un faible mouvement de la tête qui veut peut-être dire oui, tandis que Simon se dépêche de rejoindre ses amis. En courant sur le sable, il songe que cette fille n'est pas comme les autres. Non, définitivement pas. Toutes les autres filles qu'il connaît, y compris ses propres sœurs, jouent à cache-cache autour des maisons, restent en bandes et font des jeux de filles, comme danser à la corde et jouer à la marelle. Marjolaine a toujours été une solitaire, mais c'est depuis l'événement qu'elle est franchement sortie des rangs.

Simon ne peut s'empêcher de se souvenir de ce jour de mai – trois mois déjà – où la tempête a commencé. Tous ces gens entassés sur le quai à surveiller la rentrée des homardiers. Tantôt bavards, tantôt silencieux, ils attendaient, engoncés dans leurs manteaux de pluie. Le vent fouettait les visages. On sentait la tension des attentes multipliée par le fracas des vagues. Petit à petit, la rumeur avait fait le tour : le *Bernache* n'est pas rentré.

C'est le lendemain matin, très tôt, qu'on a su que, malgré les recherches entreprises par les gardes-pêche, la rumeur était devenue nouvelle. C'était vrai. Le *Bernache* n'était pas rentré. Les jours suivants, Simon avait fait de grands efforts pour ne pas dévisager Marjolaine Turbide. Elle gardait ses grands yeux verts fixés droit devant elle et ne se mêlait pas aux jeux des autres, à la récréation. Évidemment, à voix basse, tout le monde ne parlait que de ça. Ça créait comme un silence autour d'elle. Une gêne qui serrait le cœur.

À l'école, pendant des semaines encore, on se taisait quand on la voyait passer. C'était comme si le fait de n'avoir plus de frère ni de père la rendait suspecte et étrange. Dans le fond, on savait bien que c'était parce que la mort crée autour de la famille un mystère, un trouble permanent. Mais on le savait sans être capable d'expliquer pourquoi.

Enfin, les vacances sont arrivées. Les jeux, les parties de baseball, les baignades ont repris. Les jeunes ont poussé l'épisode du *Bernache* au fin fond de leur mémoire. Sauf Marjolaine…

Source: Cécile Gagnon, *Châteaux de sable*,
p. 12-17. © Éditions Pierre Tisseyre (coll. Conquêtes).

Discussion en grand groupe

1. Quel extrait avez-vous préféré? Pourquoi?

2. À quels souvenirs de votre vie cette histoire vous fait-elle penser?

3. Quel personnage trouvez-vous le plus intéressant? Lequel touvez-vous le plus sympathique? Et le plus antipathique? Chaque fois, dites pourquoi.

4. Dans l'extrait du roman *Châteaux de sable*, Simon et ses amis ont une opinion particulière des filles. «La troupe prétend uniformément que les filles ne savent pas jouer comme il faut, ni rouler à vélo assez vite, ni… faire plein d'autres choses épatantes.» Qu'en pensez-vous?

Travail individuel et en petite équipe

5. Individuellement, poursuis l'exploration de ton extrait préféré en remplissant la première partie de la fiche qu'on te remettra.

6. Place-toi avec trois élèves qui ont choisi le même extrait que toi. Remplissez la deuxième partie de la fiche.

Ajoutez ensuite les renseignements demandés dans le tableau *Souvenirs de vacances* (document reproductible R3). Conservez votre fiche dans votre portfolio.

7. Individuellement, imagine la page de couverture de ton extrait préféré et illustre-la dans ton carnet de lecture. Ajoutes-y le titre, le nom de l'auteur ou de l'auteure ainsi que celui de la maison d'édition.

Clés en main

Des cas particuliers d'accord du verbe

1. Complète les phrases en y ajoutant un des noms suivants :

bande	classe	comité	équipe	foule	monde

N'utilise chaque nom qu'une seule fois.

a) Ce matin, chaque ■ divisée en équipes part
en randonnée pédestre pour la journée.

b) Vers midi, notre ■ s'arrête près de l'immense
belvédère pour déguster son dîner.

c) Après le repas, tout le ■ reprend le sentier
vers le sommet de la montagne.

d) En bas de la montagne escarpée, une ■ de
curieux nous attend avec impatience.

e) Ma ■ de copains ira au camp de vacances pendant l'été.

f) Le ■ de loisirs a décidé d'organiser un tournoi de soccer.

2. a) Utilise les phrases données au numéro 1 pour remplir un tableau
comme celui-ci :

Verbe conjugué	Groupe du nom sujet	Nombre et personne du sujet
part	■■■■■■■	■ personne du ■■■■

b) Quel est le nombre (singulier ou pluriel) des groupes du nom sujets
des verbes ?

c) Quelle image vois-tu dans ta tête (une ou plusieurs personnes)
quand tu penses à ces groupes du nom ?

d) Les verbes sont-ils au singulier ou au pluriel ? Pourquoi ? Vérifie
tes réponses en consultant les explications données dans la rubrique
Je comprends (p. 147).

3. Lis les paires de phrases suivantes.

A	Le cycliste roule prudemment sur la route de campagne.	Le cycliste et l'automobiliste roulent prudemment sur la route de campagne.
B	Le soleil bienfaisant réchauffe les baigneurs.	Le soleil bienfaisant et le vent doux réchauffent les baigneurs.
C	Ma mère organise un voyage à Québec.	Ma mère et mon père organisent un voyage à Québec.

a) Quel est le groupe du nom sujet de chaque phrase de la colonne de gauche?

b) Quel est le groupe du nom sujet de chaque phrase de la colonne de droite?

c) Combien de noms trouves-tu dans chacun des groupes du nom sujets de la colonne de gauche? dans chacun de ceux de la colonne de droite?

d) Quel est le nombre (singulier ou pluriel) des verbes de la colonne de gauche? de ceux de la colonne de droite?

e) Par quel pronom pourrais-tu remplacer chaque groupe du nom sujet de la colonne de gauche? chacun de ceux de la colonne de droite?

f) Selon toi, quelle est la règle d'accord du verbe avec un sujet composé de plusieurs groupes du nom? Compare ta réponse avec les explications données dans *Je comprends*.

4. Trouve le sujet qui convient au verbe de chaque phrase.

a) (Une foule / Les partisans) remplit le stade.

b) (L'avion / L'avion et l'hélicoptère) atterriront dans vingt minutes.

c) (L'équipe / Les joueuses) ont adoré participer à cette compétition.

d) (Le troupeau de moutons / Les moutons) nous accueille avec des bêlements.

e) (Marie et Sophie / Patricia) vont pêcher à la mouche.

5. Lis le texte suivant.

Un voyage mouvementé

Dans l'autobus, le groupe est peu bavard. La chaussée est glissante. La pluie et le vent forcent la chauffeuse à être très prudente. Assis sur la première banquette, l'enseignant déplie la carte routière pour trouver le chemin. Juste derrière lui, Neil et Cassandra s'inquiètent. D'un commun accord, la chauffeuse d'autobus et l'enseignant décident de changer d'itinéraire.

Trouve tous les verbes conjugués. Repère ensuite chaque groupe du nom sujet et remplace-le par un pronom. Vérifie l'accord du verbe.

6. Compose deux phrases. Dans la première phrase, le sujet du verbe doit être un nom collectif. Dans la deuxième phrase, le sujet doit comprendre deux groupes du nom reliés par *et*.

Je comprends

Des cas particuliers d'accord du verbe

• Accord du verbe avec un nom collectif

Un nom collectif désigne plusieurs personnes, animaux ou objets (ex.: groupe, foule, bande, équipe). Il est pourtant singulier. Lorsque le sujet d'une phrase est un nom collectif, le verbe se met à la troisième personne du singulier.

Ex.: Le premier groupe **attend** l'arrivée de la responsable de l'activité.

• Accord du verbe avec un sujet formé de plusieurs groupes du nom

Lorsque le sujet est formé de plusieurs groupes du nom, le verbe se met à la troisième personne du pluriel.

Ex.: Un homme et son chien **nagent** dans le lac.

Les groupes du nom peuvent alors être remplacés par le pronom *ils* ou *elles*.

Ex.: Ils **nagent** dans le lac.

Qu'est-ce qu'un dépliant publicitaire ? En as-tu déjà lu un ?
À quelle occasion ?

Dans le dépliant suivant, on décrit quelques attraits touristiques du Québec. Observe la présentation et repère les renseignements qui t'intéressent.

Le Québec, c'est les vacances !

Hiver comme été, à la ville comme à la campagne, le Québec offre une variété impressionnante de paysages et d'activités touristiques. Découvre cette terre aux mille visages !

Prendre le large

Le Québec est une terre d'eau ; on y compte plus d'un million de lacs et des milliers de rivières. C'est donc un vaste territoire pour les amateurs et amatrices de pêche !

Le fleuve Saint-Laurent est un des plus longs fleuves du monde. Véritable porte ouverte sur l'Atlantique et l'Europe, le Saint-Laurent et sa vallée forment le berceau de l'histoire du Québec. Longer les rives de ce puissant cours d'eau bordé de terres riches et fertiles est un voyage dont personne ne peut se lasser.

On peut profiter des visites guidées sur le fleuve pour regarder les villes avec les yeux d'un marin. Plus à l'est, on peut aller observer les baleines et les phoques.

Le fleuve, c'est la mer pour ceux qui l'habitent. C'est d'ailleurs la mer qu'on voit danser sur les côtes de la Gaspésie, autre destination populaire. Dans ce coin de pays, le vent traverse des paysages de hautes herbes et salue au passage de jolies petites maisons de bois aux couleurs tendres. À Percé, nul ne résiste au charme du célèbre rocher Percé. Si tu aimes collectionner les roches et les coquillages, la Gaspésie, c'est pour toi !

Prendre l'air de la campagne

Le Québec est un endroit rêvé pour s'adonner aux joies de la nature. Viens découvrir les nombreux sentiers et les réserves fauniques aménagés un peu partout sur le territoire.

Pour commencer la saison estivale, que dirais-tu de faire la cueillette de fraises ou de framboises ? Au mois de juillet, tu pourras remplir ton panier de bons bleuets du Lac-Saint-Jean. À l'automne, rien de tel que de ramasser toi-même ta réserve de pommes.

1. Qu'est-ce qui te frappe dans la présentation du texte de ce dépliant ? Qu'est-ce qui t'attire ?

2. Quels sont les renseignements présentés qui te donnent le goût de visiter le Québec ? Pourquoi ?

3. En équipe de deux ou trois, repérez les renseignements importants de ce dépliant et inscrivez-les sur la feuille qu'on vous remettra. Cherchez ensuite trois ou quatre mots nouveaux ou dont vous doutez du sens.

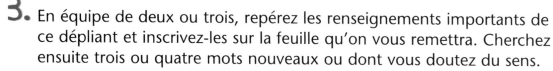

Prendre goût au plein air

Les vacances sont l'occasion de refaire le plein d'énergie en famille. Le Québec te propose toute une gamme d'activités de plein air pour une parfaite évasion au naturel ! Durant la saison hivernale, tu peux pratiquer le ski de fond, le ski alpin, le patin, la motoneige, etc. Font également partie des plaisirs de nos hivers les randonnées en carriole ou en traîneau à chiens et la pêche sur la glace. Durant la saison estivale, quoi de plus agréable que d'emprunter l'une des nombreuses pistes cyclables pour une longue balade ! Il y a aussi la baignade, la planche à voile, le rafting, l'escalade, l'équitation, le vélo de montagne, etc. Toutes les formules sont bonnes pour se détendre et s'amuser en famille.

Prendre rendez-vous avec l'histoire

Parcourir le Québec, c'est aussi retourner dans le temps. Presque toutes les villes ont leur musée historique et leurs vieilles maisons qui rivalisent de beauté.

La ville de Québec, capitale provinciale, est considérée comme l'une des plus belles villes d'Amérique du Nord. Sur la place Royale, dans le Vieux-Québec, on t'invite à revivre 400 ans d'histoire et on offre des ateliers de confection de costumes pour toute la famille. Sur les plaines d'Abraham, tu pourrais revivre la bataille entre Montcalm et Wolfe et, de la colline parlementaire, admirer la parade de la garde royale. Ensuite, tu voudras sûrement longer les fortifications jusqu'au Château Frontenac. De la terrasse de ce magnifique hôtel, édifié à la fin des années 1800, tu auras une vue magnifique sur les fortifications, le fleuve et l'île d'Orléans.

Prendre des vacances de premier choix !

Chaque année, de plus en plus de familles choisissent de visiter le Québec. Rien de surprenant, puisque notre province est remplie de richesses naturelles et culturelles.

N'hésite pas à communiquer avec les centres d'information touristiques de ta région ou à consulter les sites Internet afin d'obtenir tous les renseignements nécessaires pour faire de tes vacances une réussite !

À vos plumes

Mon dépliant publicitaire

En t'inspirant du modèle « Le Québec, c'est les vacances! » (p. 148 et 149), crée un dépliant pour des jeunes de ton âge afin de leur faire connaître les attraits touristiques de ta région ou d'une autre région québécoise qui t'attire.

Je planifie

Choisis la région que tu aimerais présenter. Puis, fais une petite recherche pour mieux connaître cette région et voir ce qu'elle offre d'intéressant. Informe-toi dans ton milieu et apporte des dépliants, des atlas et des livres. Remplis ensuite l'organisateur qu'on te remettra.

Je rédige

Consulte ton organisateur. Répartis en sections les renseignements dont tu veux parler et ajoute-leur des intertitres qui conviennent. Compose des phrases claires et précises. Trouve un titre accrocheur à ton dépliant.

Je révise et je corrige

Assure-toi que tes phrases ont du sens et que ton message est clair et captivant. Consulte tes outils grammaticaux et utilise les stratégies apprises pour corriger tes erreurs (tableaux de conjugaison, dictionnaire, manuel).

Je mets au propre

En t'inspirant de l'exemple des pages 148 et 149, pense à la présentation de ton dépliant. Copie ton texte à l'ordinateur ou à la main. Ajoute des photos ou des dessins.

Je présente

Affiche ton dépliant dans la classe pour que les autres élèves puissent le lire.

Je m'évalue

Remplis la grille qu'on te remettra. Place-la dans ton portfolio avec ton dépliant.

Mes mots

à l'aise	le mien	le vôtre	une **tonne**
après-demain	la mienne	la vôtre	vrai
cet **après-midi**	le nôtre	la **mathématique**	vraie
de bonne heure	la nôtre	le **quart**	un **zéro**
de temps en temps	le sien	le tiers	
un **gramme**	la sienne		
un **kilogramme**	le tien		
	la tienne		

Mes verbes conjugués

ALLER			FAIRE		
SUBJONCTIF PRÉSENT			**SUBJONCTIF PRÉSENT**		
Personne	Radical	Terminaison	Personne	Radical	Terminaison
que j'	aill	**e**	que je	fass	**e**
que tu	aill	**es**	que tu	fass	**es**
qu'il/elle	aill	**e**	qu'il/elle	fass	**e**
que nous	all	**ions**	que nous	fass	**ions**
que vous	all	**iez**	que vous	fass	**iez**
qu'ils/elles	aill	**ent**	qu'ils/elles	fass	**ent**

1. Complète chaque phrase avec des mots du tableau *Mes mots*. Au besoin, fais les accords nécessaires et consulte ton dictionnaire.

a) Dans notre cours de ■, nous avons appris à utiliser les fractions suivantes: un demi (1/2), un ■ (1/3) et un ■ (1/4).

b) Je connais certaines unités de masse. Je sais qu'un ■ (kg) équivaut à mille ■ (g) et que 1000 ■ (kg) équivalent à une ■.

c) Une personne qui a le moral à ■, c'est une personne très déprimée.

d) L'histoire qu'on t'a racontée est ■: elle s'est réellement passée.

e) Mets-toi ■, installe-toi confortablement dans ce fauteuil.

f) Cet ■, mon copain viendra jouer chez moi. Je souhaiterais qu'il vienne plus souvent.

g) Elle est arrivée ■. On a pu s'amuser ensemble pendant un bon moment.

h) Ce livre m'appartient: c'est ■, ce n'est ni ■ ni ■.

i) Cette valise est à moi: c'est ■, ce n'est ni ■ ni ■.

j) Voici notre chambre, c'est ■. En face, c'est ■.

2. Sur la feuille remise, complète le tableau suivant:

	Verbe conjugué	Verbe à l'infinitif	Temps	Personne et nombre
a)	que nous fassions	faire	subjonctif présent	1re p. pl.
b)	qu'ils fassent			
c)	qu'ils aiment			
d)	que vous fassiez			
e)	que vous aimiez			
f)	vous allez			
g)	tu aimes			
h)	vous faites			
i)	que nous aimions			
j)	qu'il fasse			
k)	tu fais			
l)	il va			

3. Trouve le sens des expressions suivantes.

a) À la bonne heure!

b) À la première heure.

c) De bonne heure.

d) Tout à l'heure.

e) Remettre les pendules à l'heure.

f) Faire la pluie et le beau temps.

g) Vivre de l'air du temps.

h) Avoir fait son temps.

i) Repartir à zéro.

j) C'est un zéro.

4. Choisis cinq des expressions données au numéro 3 et compose une phrase avec chacune d'elles.

5. Que dirais-tu d'un jeu de bingo pour réviser les noms que tu as appris à orthographier dans ce manuel? Suis les consignes de ton enseignant ou enseignante.

Laisse-toi bercer par la poésie… Lis les poèmes suivants et essaie de voir des images dans ta tête. Choisis celui qui en suscite le plus pour faire les tâches proposées à la page suivante.

Une vague de poésie

Un château de sable
Pas celui de la fable
Mais celui d'un enfant
Un enfant qui rêvait
De garder des poissons
Dedans tout l'été.

Source: Jacques Thisdel, *Après midi j'ai dessiné un oiseau.*
© Le Noroît, 1976.

Vert de mer

Un poisson connaissait par cœur les noms de tous les autres poissons.

Il connaissait les algues, les courants, les sédiments, les coquillages.

C'était un érudit.

Il exigeait d'ailleurs qu'on l'appelât « Maître » !

Il savait tout de la mer mais il ignorait tout de l'homme.

Et un jour il se laissa prendre au bout d'un tout petit hameçon.

Source: Madeleine Le Floch, *Petits contes verts pour le printemps et pour l'hiver.*
© Le cherche midi éditeur.

L'AVION

Un avion a atterri
cet après-midi
sur une page blanche
de mon livre ouvert.

Il a dessiné de ses huit roues
comme une mèche de cheveux
au beau milieu de la feuille ;
puis lentement s'est rangé,
en bas,
à gauche,
près du numéro 36.

36 passagers sont descendus.
Ils m'ont parlé en 36 langues,
de 36 millions d'enfants
que je ne connaissais pas.

Et mon livre traduisait,
et mon livre jubilait.

Source : Alain Serres © Cheyne éditeur.

Îles

Îles
Îles
Îles où l'on ne prendra jamais terre
Îles où l'on ne descendra jamais
Îles couvertes de végétations
Îles tapies comme des jaguars
Îles muettes
Îles immobiles
Îles inoubliables et sans nom
Je lance mes chaussures par-dessus bord
car je voudrais bien aller jusqu'à vous.

Source : Blaise Cendrars, *Feuilles de Route.*
© 1947, 1963, 2001, Éditions Denoël et
© 1961, Myriam Cendrars.

 1. Forme une équipe avec quelques élèves qui ont choisi le même poème que toi. Partagez vos impressions sur le poème. Qu'avez-vous vu dans votre tête en le lisant ? Quels paysages imaginez-vous ? Cherchez des photos qui représentent bien vos idées dans des magazines ou des dépliants touristiques. Transcrivez le poème choisi sur une affiche. Faites un collage des photos trouvées et présentez-le.

 2. Choisis quelques vers que tu as particulièrement aimés et copie-les dans ton carnet de lecture. Explique ton choix. N'oublie pas de noter la source du poème.

Des mots croisés virtuels

Créer une grille de mots croisés, c'est amusant, mais ça demande tout de même une bonne dose de travail. Celle que tu inventeras sera présentée sous forme électronique et pourra être remplie à l'écran par tes camarades. Réfléchis bien et utilise un vocabulaire riche qui permettra à tes camarades d'apprendre de nouveaux mots.

Un courriel, ça fait toujours plaisir!

Écris à quelqu'un, comme ça... simplement pour lui faire plaisir. Qui a une adresse de courrier électronique parmi les gens que tu connais? Ta grand-mère, ton père, un cousin, une copine...? Vas-y, installe-toi à ton clavier! Tu verras, on te fera probablement le plaisir d'une petite réponse.

Un carnet d'adresses pour les vacances

Est-ce que tu aimerais communiquer avec d'autres élèves pendant les vacances? Tu peux utiliser la poste ou Internet. Avec tes camarades, crée un carnet d'adresses qui sera distribué à toute la classe. Ensuite, donne de tes nouvelles!

Mes verbes conjugués

Aimer

TEMPS SIMPLES

INDICATIF PRÉSENT

Personne	Radical	Terminaison
j'	aim	e
tu	aim	es
il/elle	aim	e
nous	aim	ons
vous	aim	ez
ils/elles	aim	ent

IMPARFAIT

Personne	Radical	Terminaison
j'	aim	ais
tu	aim	ais
il/elle	aim	ait
nous	aim	ions
vous	aim	iez
ils/elles	aim	aient

IMPÉRATIF

Radical	Terminaison
aim	e
aim	ons
aim	ez

FUTUR SIMPLE

Personne	Radical	Terminaison
j'	aim	erai
tu	aim	eras
il/elle	aim	era
nous	aim	erons
vous	aim	erez
ils/elles	aim	eront

CONDITIONNEL PRÉSENT

Personne	Radical	Terminaison
j'	aim	erais
tu	aim	erais
il/elle	aim	erait
nous	aim	erions
vous	aim	eriez
ils/elles	aim	eraient

SUBJONCTIF PRÉSENT

Personne	Radical	Terminaison
que j'	aim	e
que tu	aim	es
qu'il/elle	aim	e
que nous	aim	ions
que vous	aim	iez
qu'ils/elles	aim	ent

TEMPS COMPOSÉ

PASSÉ COMPOSÉ

Personne	Auxiliaire	Participe passé Radical	Terminaison
j'	ai	aim	é
tu	as	aim	é
il/elle	a	aim	é
nous	avons	aim	é
vous	avez	aim	é
ils/elles	ont	aim	é

Aller

TEMPS SIMPLES

INDICATIF PRÉSENT

Personne	Radical	Terminaison
je	vai	s
tu	va	s
il/elle	va	
nous	all	ons
vous	all	ez
ils/elles	von	t

IMPARFAIT

Personne	Radical	Terminaison
j'	all	ais
tu	all	ais
il/elle	all	ait
nous	all	ions
vous	all	iez
ils/elles	all	aient

IMPÉRATIF

Radical	Terminaison
va	
all	ons
all	ez

FUTUR SIMPLE

Personne	Radical	Terminaison
j'	i	rai
tu	i	ras
il/elle	i	ra
nous	i	rons
vous	i	rez
ils/elles	i	ront

CONDITIONNEL PRÉSENT

Personne	Radical	Terminaison
j'	i	rais
tu	i	rais
il/elle	i	rait
nous	i	rions
vous	i	riez
ils/elles	i	raient

SUBJONCTIF PRÉSENT

Personne	Radical	Terminaison
que j'	aill	e
que tu	aill	es
qu'il/elle	aill	e
que nous	all	ions
que vous	all	iez
qu'ils/elles	aill	ent

TEMPS COMPOSÉ

PASSÉ COMPOSÉ

Personne	Auxiliaire	Participe passé Radical	Terminaison
je	suis	all	é(e)
tu	es	all	é(e)
il/elle	est	all	é(e)
nous	sommes	all	é(e)s
vous	êtes	all	é(e)s
ils/elles	sont	all	é(e)s

Avoir

TEMPS SIMPLES

INDICATIF PRÉSENT

Personne	Radical	Terminaison
j'	ai	
tu	a	**s**
il/elle	a	
nous	av	**ons**
vous	av	**ez**
ils/elles	on	**t**

IMPARFAIT

Personne	Radical	Terminaison
j'	av	**ais**
tu	av	**ais**
il/elle	av	**ait**
nous	av	**ions**
vous	av	**iez**
ils/elles	av	**aient**

IMPÉRATIF

Radical	Terminaison
ai	**e**
ay	**ons**
ay	**ez**

FUTUR SIMPLE

Personne	Radical	Terminaison
j'	au	**rai**
tu	au	**ras**
il/elle	au	**ra**
nous	au	**rons**
vous	au	**rez**
ils/elles	au	**ront**

CONDITIONNEL PRÉSENT

Personne	Radical	Terminaison
j'	au	**rais**
tu	au	**rais**
il/elle	au	**rait**
nous	au	**rions**
vous	au	**riez**
ils/elles	au	**raient**

SUBJONCTIF PRÉSENT

Personne	Radical	Terminaison
que j'	ai	**e**
que tu	ai	**es**
qu'il/elle	ai	**t**
que nous	ay	**ons**
que vous	ay	**ez**
qu'ils/elles	ai	**ent**

TEMPS COMPOSÉ

PASSÉ COMPOSÉ

Personne	Auxiliaire	Participe passé Radical	Terminaison
j'	ai	eu	
tu	as	eu	
il/elle	a	eu	
nous	avons	eu	
vous	avez	eu	
ils/elles	ont	eu	

Être

TEMPS SIMPLES

INDICATIF PRÉSENT

Personne	Radical	Terminaison
je	sui	**s**
tu	es	
il/elle	es	**t**
nous	somm	**es**
vous	êt	**es**
ils/elles	son	**t**

IMPARFAIT

Personne	Radical	Terminaison
j'	ét	**ais**
tu	ét	**ais**
il/elle	ét	**ait**
nous	ét	**ions**
vous	ét	**iez**
ils/elles	ét	**aient**

IMPÉRATIF

Radical	Terminaison
soi	**s**
soy	**ons**
soy	**ez**

FUTUR SIMPLE

Personne	Radical	Terminaison
je	se	**rai**
tu	se	**ras**
il/elle	se	**ra**
nous	se	**rons**
vous	se	**rez**
ils/elles	se	**ront**

CONDITIONNEL PRÉSENT

Personne	Radical	Terminaison
je	se	**rais**
tu	se	**rais**
il/elle	se	**rait**
nous	se	**rions**
vous	se	**riez**
ils/elles	se	**raient**

SUBJONCTIF PRÉSENT

Personne	Radical	Terminaison
que je	soi	**s**
que tu	soi	**s**
qu'il/elle	soi	**t**
que nous	soy	**ons**
que vous	soy	**ez**
qu'ils/elles	soi	**ent**

TEMPS COMPOSÉ

PASSÉ COMPOSÉ

Personne	Auxiliaire	Participe passé Radical	Terminaison
j'	ai	ét	é
tu	as	ét	é
il/elle	a	ét	é
nous	avons	ét	é
vous	avez	ét	é
ils/elles	ont	ét	é

Faire

TEMPS SIMPLES

INDICATIF PRÉSENT

Personne	Radical	Terminaison
je	fai	**s**
tu	fai	**s**
il/elle	fai	**t**
nous	fais	**ons**
vous	fait	**es**
ils/elles	fon	**t**

IMPARFAIT

Personne	Radical	Terminaison
je	fais	**ais**
tu	fais	**ais**
il/elle	fais	**ait**
nous	fais	**ions**
vous	fais	**iez**
ils/elles	fais	**aient**

IMPÉRATIF

Radical	Terminaison
fai	**s**
fais	**ons**
fait	**es**

FUTUR SIMPLE

Personne	Radical	Terminaison
je	fe	**rai**
tu	fe	**ras**
il/elle	fe	**ra**
nous	fe	**rons**
vous	fe	**rez**
ils/elles	fe	**ront**

CONDITIONNEL PRÉSENT

Personne	Radical	Terminaison
je	fe	**rais**
tu	fe	**rais**
il/elle	fe	**rait**
nous	fe	**rions**
vous	fe	**riez**
ils/elles	fe	**raient**

SUBJONCTIF PRÉSENT

Personne	Radical	Terminaison
que je	fass	**e**
que tu	fass	**es**
qu'il/elle	fass	**e**
que nous	fass	**ions**
que vous	fass	**iez**
qu'ils/elles	fass	**ent**

TEMPS COMPOSÉ

PASSÉ COMPOSÉ

Personne	Auxiliaire	Participe passé Radical	Terminaison
j'	ai	fait	
tu	as	fait	
il/elle	a	fait	
nous	avons	fait	
vous	avez	fait	
ils/elles	ont	fait	

Finir

TEMPS SIMPLES

INDICATIF PRÉSENT

Personne	Radical	Terminaison
je	fini	**s**
tu	fini	**s**
il/elle	fini	**t**
nous	finiss	**ons**
vous	finiss	**ez**
ils/elles	finiss	**ent**

IMPARFAIT

Personne	Radical	Terminaison
je	finiss	**ais**
tu	finiss	**ais**
il/elle	finiss	**ait**
nous	finiss	**ions**
vous	finiss	**iez**
ils/elles	finiss	**aient**

IMPÉRATIF

Radical	Terminaison
fini	**s**
finiss	**ons**
finiss	**ez**

FUTUR SIMPLE

Personne	Radical	Terminaison
je	fini	**rai**
tu	fini	**ras**
il/elle	fini	**ra**
nous	fini	**rons**
vous	fini	**rez**
ils/elles	fini	**ront**

CONDITIONNEL PRÉSENT

Personne	Radical	Terminaison
je	fini	**rais**
tu	fini	**rais**
il/elle	fini	**rait**
nous	fini	**rions**
vous	fini	**riez**
ils/elles	fini	**raient**

SUBJONCTIF PRÉSENT

Personne	Radical	Terminaison
que je	finiss	**e**
que tu	finiss	**es**
qu'il/elle	finiss	**e**
que nous	finiss	**ions**
que vous	finiss	**iez**
qu'ils/elles	finiss	**ent**

TEMPS COMPOSÉ

PASSÉ COMPOSÉ

Personne	Auxiliaire	Participe passé Radical	Terminaison
j'	ai	fini	
tu	as	fini	
il/elle	a	fini	
nous	avons	fini	
vous	avez	fini	
ils/elles	ont	fini	

Dire

TEMPS SIMPLE			TEMPS COMPOSÉ			
INDICATIF PRÉSENT			PASSÉ COMPOSÉ			
					Participe passé	
Personne	Radical	Terminaison	Personne	Auxiliaire	Radical	Terminaison
je	di	s	j'	ai	dit	
tu	di	s	tu	as	dit	
il/elle	di	t	il/elle	a	dit	
nous	dis	ons	nous	avons	dit	
vous	dit	es	vous	avez	dit	
ils/elles	dis	ent	ils/elles	ont	dit	

Partir

TEMPS SIMPLE			TEMPS COMPOSÉ			
INDICATIF PRÉSENT			PASSÉ COMPOSÉ			
					Participe passé	
Personne	Radical	Terminaison	Personne	Auxiliaire	Radical	Terminaison
je	par	s	je	suis	parti	(e)
tu	par	s	tu	es	parti	(e)
il/elle	par	t	il/elle	est	parti	(e)
nous	part	ons	nous	sommes	parti	(e)s
vous	part	ez	vous	êtes	parti	(e)s
ils/elles	part	ent	ils/elles	sont	parti	(e)s

Prendre

TEMPS SIMPLE			TEMPS COMPOSÉ			
INDICATIF PRÉSENT			PASSÉ COMPOSÉ			
					Participe passé	
Personne	Radical	Terminaison	Personne	Auxiliaire	Radical	Terminaison
je	prend	s	j'	ai	pris	
tu	prend	s	tu	as	pris	
il/elle	prend		il/elle	a	pris	
nous	pren	ons	nous	avons	pris	
vous	pren	ez	vous	avez	pris	
ils/elles	prenn	ent	ils/elles	ont	pris	

Mettre

TEMPS SIMPLE			TEMPS COMPOSÉ			
INDICATIF PRÉSENT			PASSÉ COMPOSÉ			
					Participe passé	
Personne	Radical	Terminaison	Personne	Auxiliaire	Radical	Terminaison
je	met	s	j'	ai	mis	
tu	met	s	tu	as	mis	
il/elle	met		il/elle	a	mis	
nous	mett	ons	nous	avons	mis	
vous	mett	ez	vous	avez	mis	
ils/elles	mett	ent	ils/elles	ont	mis	

Pouvoir

TEMPS SIMPLE			TEMPS COMPOSÉ			
INDICATIF PRÉSENT			PASSÉ COMPOSÉ			
					Participe passé	
Personne	Radical	Terminaison	Personne	Auxiliaire	Radical	Terminaison
je	peu	x	j'	ai	pu	
tu	peu	x	tu	as	pu	
il/elle	peu	t	il/elle	a	pu	
nous	pouv	ons	nous	avons	pu	
vous	pouv	ez	vous	avez	pu	
ils/elles	peuv	ent	ils/elles	ont	pu	

Savoir

TEMPS SIMPLE			TEMPS COMPOSÉ			
INDICATIF PRÉSENT			PASSÉ COMPOSÉ			
					Participe passé	
Personne	Radical	Terminaison	Personne	Auxiliaire	Radical	Terminaison
je	sai	s	j'	ai	su	
tu	sai	s	tu	as	su	
il/elle	sai	t	il/elle	a	su	
nous	sav	ons	nous	avons	su	
vous	sav	ez	vous	avez	su	
ils/elles	sav	ent	ils/elles	ont	su	

Venir

TEMPS SIMPLE			TEMPS COMPOSÉ			
INDICATIF PRÉSENT			**PASSÉ COMPOSÉ**			
Personne	Radical	Terminaison	Personne	Auxiliaire	Participe passé Radical	Terminaison
je	vien	**s**	je	suis	venu	**(e)**
tu	vien	**s**	tu	es	venu	**(e)**
il/elle	vien	**t**	il/elle	est	venu	**(e)**
nous	ven	**ons**	nous	sommes	venu	**(e)s**
vous	ven	**ez**	vous	êtes	venu	**(e)s**
ils/elles	vienn	**ent**	ils/elles	sont	venu	**(e)s**

Vouloir

TEMPS SIMPLE			TEMPS COMPOSÉ			
INDICATIF PRÉSENT			**PASSÉ COMPOSÉ**			
Personne	Radical	Terminaison	Personne	Auxiliaire	Participe passé Radical	Terminaison
je	veu	**x**	j'	ai	voulu	
tu	veu	**x**	tu	as	voulu	
il/elle	veu	**t**	il/elle	a	voulu	
nous	voul	**ons**	nous	avons	voulu	
vous	voul	**ez**	vous	avez	voulu	
ils/elles	veul	**ent**	ils/elles	ont	voulu	

Voir

TEMPS SIMPLE			TEMPS COMPOSÉ			
INDICATIF PRÉSENT			**PASSÉ COMPOSÉ**			
Personne	Radical	Terminaison	Personne	Auxiliaire	Participe passé Radical	Terminaison
je	voi	**s**	j'	ai	vu	
tu	voi	**s**	tu	as	vu	
il/elle	voi	**t**	il/elle	a	vu	
nous	voy	**ons**	nous	avons	vu	
vous	voy	**ez**	vous	avez	vu	
ils/elles	voi	**ent**	ils/elles	ont	vu	

Mes mots

A

abri
abriter
accrocher
acrobate
acteur
  actrice
adieu
admirable
admiration
admirer
adresse
affaiblir
affaire
âge
âgé
  âgée
agile
agilité
agir
agitation
ah!
à l'aise
alarme
album
aliment
alimentaire
alimentation
allée
allonger
amener
amusement
amuser
ancien
  ancienne
ancre
animer
angle
annonce
annoncer
annuaire
à peu près
appartement
  (app.)
apprendre
après-demain
après-midi

arachide
arbitre
arbuste
arc
arc-en-ciel
arrêt
arrière
arrivée
arriver
attaque
attaquer
attendre
attention
aube
au-dessous
au-dessus
aussitôt
auteur
  auteure
autobus
automobile
autoroute
avancer
avantage
avantageux
  avantageuse
avant-hier
aventure
avenue
averse
avis
avoine
avouer

B

bagage
baie
ballet
bande dessinée
bandit
bateau
beurre
billet
biscuit
blague
blaguer

C

blessé
  blessée
blesser
blessure
bœuf
boisson
boîte
bouffon
bouleau
bouteille
bref
  brève
brisé
  brisée
briser
brouillard
bulle

cabane
caché
  cachée
cachette
cadre
cahier
caissier
  caissière
calmer
camarade
camp
camper
campeur
  campeuse
camping
canif
caractère
caractéristique
carie
carnaval
case
casque
casquette
casser
cause
causer
cèdre
cela

céleri
cent
centre commercial
céréale
certain
  certaine
certainement
chalet
chaloupe
chameau
chance
chanceux
  chanceuse
charmant
  charmante
charme
charmer
chêne
cheville
Chine
chinois
  chinoise
choisir
chou
chute
cigale
cinéma
citrouille
clair
  claire
clarté
clé (ou clef)
client
  cliente
climat
coffre
coiffeur
  coiffeuse
coiffure
collection
colorer
coloriage
colorier
comédien
  comédienne
comique

complet
   complète
comprendre
conclusion
concombre
consolation
consoler
construire
conte
contenir
conter
convenir
conversation
corneille
corps
costume
costumier
   costumière
côte
couleuvre
coup
courage
courant
course
couture
couturier
   couturière
crayon
crayonner
créateur
   créatrice
création
créature
créer
croisière
cuisse
culbute

D

d'abord
danger
dangereux
   dangereuse
danse
danser
danseur
   danseuse
de bonne heure
debout
décidé
   décidée

décider
décoller
décor
découpage
découper
découvrir
dedans
défaut
dehors
demeure
demeurer
démolir
démolition
déplacement
derrière
désert
désobéir
désobéissant
   désobéissante
désordre
destination
détail
de temps en
   temps
détour
détruire
devenir
deviner
dévouement
différent
   différente
directeur
   directrice
direction
diriger
distraction
distrait
   distraite
distribuer
distribution
dizaine
doigt
domestique
domicile
don
double
douche
douzaine
dragon
drapeau

drôle

E

éclair
éclaircir
éclairer
écorce
élégant
   élégante
encourager
endroit
énergie
ensemble
environ
épaule
époque
épreuve
équilibre
érable
escale
est (E.)
étage
éternel
   éternelle
étrange
excursion
exister
expliquer
exposition
exprimer

F

fable
facile
facilement
facilité
façon
faible
faiblesse
faim
falloir
famine
fantôme
farce
fatiguer
faux
   fausse
fer
fermé
   fermée
fermer
fêter

feuillage
fier
   fière
fierté
filet
film
filmer
fils
fin de semaine
flâner
fleuve
force
forcer
fourmi
frais
   fraîche
framboise
français
   française
France

G

galerie
garderie
gardien
   gardienne
gazon
genou
géographie
gorge
grain
graine
gramme
grand-maman
grand-mère
grand-papa
grand-père
grange
grenier
groupe
guerre
guide

H

hauteur
hélas !
hirondelle
hôpital
humain
   humaine
humeur
humide

I

humour

île
illustre
imaginaire
imagination
important
   importante
impossible
incendie
information
insecte
intéressant
   intéressante
intéresser
intérêt
intime
introduction
inviter

J

jongleur
   jongleuse
juge
jugement
juger

K

kilogramme

L

là-bas
laisser
lancer
langue
le mien
   la mienne
le nôtre
   la nôtre
le sien
   la sienne
le tien
   la tienne
le vôtre
   la vôtre
lèvre
libre
lilas
logement
loisir
long
   longue
longtemps

lorsque
luisant
   luisante
lutin

M

machine
magasiner
malchance
malchanceux
   malchanceuse
malgré
malheur
mangeoire
manger
marchand
   marchande
mare
marraine
mathématique
médecin
médicament
meilleur
   meilleure
melon
mener
merveille
merveilleux
   merveilleuse
message
mesure
mesurer
mettre
mille
million
minuit
misère
mission
mode
modèle
mont
morale
mort
   morte
motoneige
mousse
muet
   muette
murmure
murmurer
muscle

N

nager
nageur
   nageuse
naître
naviguer
navire
neiger
nombre
nommer
nord (N.)
nourrir
nourriture

O

obligation
obliger
oh!
ombre
ordinaire
original
   originale
orteil
où
ouest (O.)

P

palais
pâle
papillon
paraître
parc
parent
   parente
parfum
parrain
partager
passage
patin
patinage
patiner
patinoire
payer
paysage
paysan
   paysanne
pédaler
pelouse
pensée
penser
perfection
personnage
peuple

peuplier
peur
peut-être
phrase
pinson
piquant
   piquante
piquer
piqûre
plage
plaine
plan
planche
plateau
pleuvoir
plongeon
plonger
plusieurs
poignet
poison
position
possédé
   possédée
posséder
possible
poumon
précis
   précise
préciser
prendre
prénom
pressé
   pressée
presser
prison
prisonnier
   prisonnière
prix
prochain
   prochaine
proche
promenade
propriétaire
propriété

Q

qualité
quart
Québec
québécois
   québécoise

quel
  quelle
quelquefois
quelqu'un
quelques-uns
  quelques-unes
question
quitter

R

racine
radio
raisin
ralentir
ramener
rapide
rapidement
rapidité
rapporter
recherche
récréation
reculer
regard
regarder
région
règlement
remettre
remonter
reportage
repos
représentation
représenter
respiration
respirer
restaurant
retard
rêver
rideau

riz
rôle
roulotte
royaume
ruine
ruisseau

S

sable
sale
salir
saluer
salut
salutation
santé
satisfaction
satisfaire
satisfait
  satisfaite
saut
sauver
scène
seau
sec
  sèche
seigneur
sentier
se poser
se reposer
service
silence
site
ski
sœur
soif
soigner
soldat
  soldate

sortie
sot
  sotte
soudain
soupir
souple
source
spectacle
spectateur
  spectatrice
station
sud (S.)
sujet
suite
surprendre
surveiller

T

tabac
taille
talent
tel
  telle
téléphone
télévision
tellement
température
tempête
terminer
texte
théâtre
tiers
tonne
tout à coup
train
travail
travailler

travailleur
  travailleuse

U

usine

V

valeur
valise
vallée
ventre
verglas
viande
vignette
violet
  violette
vitesse
vivant
  vivante
voile
voilier
voix
vol
volcan
volonté
voyageur
  voyageuse
vrai
  vraie
vraiment
vue

W

wagon

Z

zéro

164

Mes stratégies de lecture

AVANT ma lecture

▶ Je me demande pourquoi je lis ce texte (pour m'informer, pour me divertir, pour me faire une opinion...).

▶ Je me demande quelle est ma tâche (répondre à des questions, réaliser un projet, faire une recherche...).

▶ Je survole le texte pour savoir quel genre de texte je vais lire (un récit, une recette, un poème...). Je regarde le titre, les intertitres, les illustrations.

▶ Je fais des prédictions sur le texte.

PENDANT ma lecture

▶ Je cherche le sens d'un mot.
Je vérifie si ce mot a du sens dans la phrase.

▶ Je cherche le sens des phrases.
Pour comprendre une phrase difficile, je relis la phrase précédente et la phrase qui suit ou je ralentis ma lecture.

▶ Je cherche le sens du texte.

▶ Je me rappelle régulièrement pourquoi je lis.

▶ J'essaie de reconnaître les renseignements et les passages qui me seront utiles.

APRÈS ma lecture

▶ Je réagis au texte.

▶ Je reviens sur mon intention de lecture (pourquoi j'ai lu ce texte) et je réalise la tâche demandée.

▶ J'explique ma démarche.

▶ J'évalue les stratégies que j'ai utilisées pour m'aider à comprendre le texte.

Index des notions grammaticales

Les nombres en **caractères gras** renvoient
aux pages du manuel où l'on trouve
la définition d'une notion
(*Je comprends*).